決戰蘭亭密碼

圖◎25度
文◎王文華

楔子——機器人書法大賽

可能小學的孩子們全都屏氣凝神，專心一致。

「各位觀眾，可能小記者目前人在校園現場為大家實況採訪，『決戰蘭亭密碼』進入最後決賽的情形。」

小記者戴著耳機，拿著麥克風，前面還有三臺攝影機實況轉播，他們都是可能小學的學生。

比賽的現場在禮堂，第一關是機器人書法大賽。跟著鏡頭移轉，可以看到機器人伸出機械手臂，夾毛筆，沾墨汁，然後一百八十度轉身，在宣紙上先輕輕抖落一點，再拉出一橫，左低右高，頗有書法家的架勢。

雖然機器人還沒寫完，但採訪小記者適時的為比賽加註旁白：

「他寫的應該是個『六』字。」

「六跟今天的比賽主題『學校』有什麼關係啊？」有觀眾透過網路即時提問。

「或許是機器人想為學校寫春聯吧！」小記者邊報導，邊回答觀眾留言。

「六六大順。」觀眾在電視機前喊著。

「六六大順。」

「六六大順！」

在觀眾吶喊聲中，機器人的毛筆輕快的寫出四個大字——六畜興旺。

「怎麼是六畜興旺？」

「那不是貼在豬圈裡的春聯嗎？」觀眾們一頭霧水：

「難道可能小學要養豬？」

鏡頭裡，出現一隻大手，在機器人的操控螢幕上使勁按啊按。

那是可能小學新來的機關王老師，他在可能小學裡，教授超異全人科。這個科目聽起來很複雜，其實可以簡稱成超人科。

小朋友在超人科課裡可以學到密室逃脫、機器人大賽，還有一連串跟藝術設計、尋寶、機械相關的課程。

或許你會問，小學怎麼可能有這種課程呢？

別忘了，在可能小學裡，沒有不可能的事啊。

現在，可能廣場上，十幾排機器人，一個個都把「六畜興旺」改成「六藝全通」，大家都希望可能小學的孩子六藝精通。

透過即時影像轉播，所有的人也都看到了，機關王的機器人在搖頭，機器人胸前有個螢幕，他們正在溝通中……

機關王＞你寫六畜興旺，害我很丟臉耶。

機器人＞可能小學裡的動物很需要啊！

機關王＞可能小學裡養了什麼動物？

機器人＞有長耳鼠、巴東烏龜、十官鳥、雙角仙，對了，還有校狗馬力精。

機關王＞那算起來只有五種啊。

機器人＞嘿，你的數學不好喔，你別忘了還有校長！如果加上校長，那就剛好有六種動物啊，呵呵呵……

機器人用一串「呵呵呵」來表達他的幽默，這下機關王的臉紅

了，電視機前的觀眾也都笑了，他竟然把校長看成……

校長沒生氣，他也沒空生氣——因為校長也參加了這場比賽。他設計的機器人正在鬧脾氣，一年級孩子的機器人都寫完「六藝全通」，往下一關前進了，校長的機器人卻不知道哪裡出了錯，原本應該沾墨汁，卻跑去沾番茄汁。紅紅的番茄汁灑在宣紙上後，機器人開始不斷旋轉。

「我的小乖乖，你快點寫啊。」

校長丟掉遙控器，急得額頭都冒汗了，但他的機器人還在旋轉，校長只好往機器人頭上一敲，嗶嗶嗶，機器人眼冒紅光，嗶嗶嗶，輪子開始轉動，急速滾向廚房。

採訪小記者也發現了。而且，電視機前的觀眾透過鏡頭也都看到了，機器人放下毛筆，拿起鍋鏟，另一隻手夾起一鍋義大利麵，回到禮堂，灑下麵條，擺上一把羅勒葉……

「原來校長的機器人要炒茄汁義大利麵。」全校的小朋友都笑了，校長也笑了：「好吧，今天的午餐，歡迎大家到六畜興……，不對，是六藝精通的校長室享用義大利麵。」

然而，參賽的同學都很忙，因為機器人一寫好書法，他們快速移動，朝著下一關前進……

楔子——機器人書法大賽

目錄

人物介紹

機關王

高高瘦瘦，髮型是小平頭，戴著金色G字項鍊，是可能小學超異全人科老師。設計機關的能力值100，但實際執行能力有待商榷。這回他為全校小朋友設計了「蘭亭飛鵝密碼」。目前挑戰者十人，過關者兩人……

伍珊珊

可能小學五年級學生，捲捲的頭髮，滿臉的雀斑，因為爸爸在故宮博物院當研究員，她把故宮當成安親班，一下課就在故宮裡研究國寶身上的花紋，國寶的知識滿分，但是要讓她繞操場走三圈，要從清晨等到黃昏。

霍許

可能小學五年級最高的學生，長得濃眉大眼，五指修長，熱愛推理小說與幫忙找東西，校長的車鑰匙、導師的臉書密碼都是他找回來的，協尋紀錄只有一件找不出來——他的壓歲錢，或許他自己太會藏，才會藏到連自己都找不到。

扇扇婆

賣扇維生的婆婆，最高紀錄，十天賣不出一把扇子。某天遇到王羲之，有眼不識「書聖」的她，嫌王羲之在她的扇子上「亂寫」，沒想到扇子價格卻一天連漲數百倍。現在她總是守在長街，希望再請王羲之幫她「亂寫」。

王羲之

書聖，人稱右軍大人，留著幾綹鬍子，喜歡穿著寬鬆的衣服，長長的袖子，外表有點像神仙。三月三日這天，王府賓客雲集，大家都要來做蘭亭修禊，但是，身為王府主人的王羲之不見了，他去哪兒了呢？

小七

王羲之第七個兒子，天天在鵝池邊用芭蕉葉練字，寫了幾百片的芭蕉葉，終於跟王羲之的字有「一點」相像，小七卻「一點」也不開心，什麼原因？快翻開這本書，跟著小七去找王羲之問清楚吧！

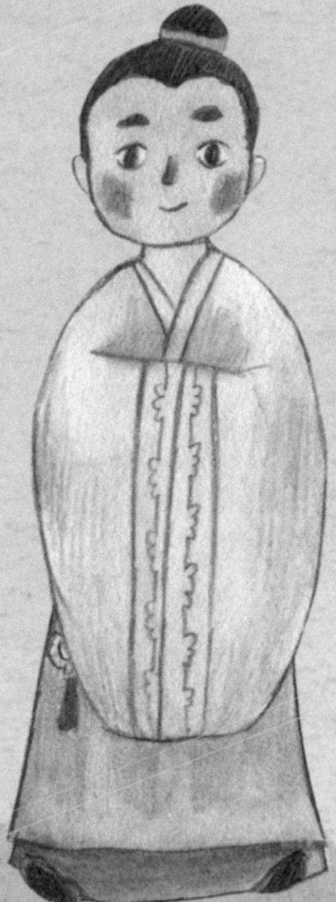

瘦老孫

隨時隨地都能擺出名士POSE，那樣子啊，說有多寂寞就有多寂寞，說有多憂愁就有多憂愁。

胖老徐

思想淡泊，但是喝水也會胖。他說他最不愛跟人鬥嘴了，除非別人先找他麻煩，只要一吵架，三天三夜也要跟人「辯」出高低。

壹 飛鵝號

跑跑跑，五年愛班的霍許追著機器人，他的同學伍珊珊動作慢，在後面大叫：「等我一下啦，人家叫珊珊，姍姍來遲，本來就會『遲一點』嘛。」

但比賽的設定就是這樣，他們的機器人一寫好書法，內建程式啟動，它就朝終點急駛而去。霍許和伍珊珊的機器人越過其他機器人，

經過籃球場，來到可能小學的寄物櫃第六排第三格的位置前，機械手指變成鑰匙，咔的一聲，寄物櫃打開了。

裡頭有幾套衣服，全是古裝。霍許快速的把衣服穿上，雖然大了一點。

「又要換裝？」伍珊珊終於趕來了。

「機關王喜歡變裝賽。」霍許搖搖頭，他實在很不欣賞機關王的品味，看看自己身上換的藍上衣配褐色長褲：「他應該去補修色彩學。」

伍珊珊也很慘，她全身上下都是粉紅色的，置物櫃最裡頭還有一個水龍頭鎖的鑰匙。

伍珊珊問：「這是獎勵品嗎？」

霍許觀察四周，他的媽媽是檢察官，負責打擊犯罪。霍許早早就立下志願，希望自己可以跟媽媽一樣。他擅於觀察細微的線索，推理事情發生的前因後果，就像現在……

他看見離自己最近一支水龍頭就在草坪邊，水龍頭的正下方有個紅色的水溝蓋，他打開蓋子，深深的洞裡有一隻黃毛小動物。

「這是變形的密室逃脫。」霍許大叫：「我們必須把牠救出來。」

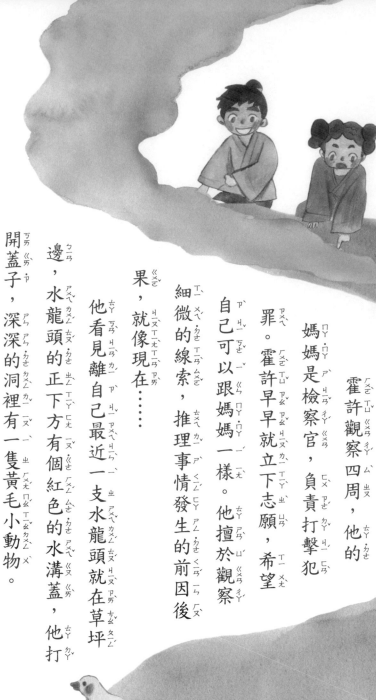

「我們的手搆不到，洞又太小，爬不進去啊。」伍珊珊說。

霍許從伍珊珊手裡接過水龍頭鑰匙，打開水龍頭，嘩啦嘩啦的水流進洞裡。

「小鴨鴨浮起來了！」

伍珊珊大叫的同時，小鴨鴨跟著水越浮越高，直到霍許伸手一撈，牠才光榮的回到地面。

「呱！」牠叫了一聲。

「就這樣？」伍珊珊嘆口氣：「我們要負責養這隻鴨？」

「我想牠應該是隻鵝，不是鴨。」

「為什麼？」

「伍同學，牠長得比一般小鴨還高、還大，你應該聽過一個童話

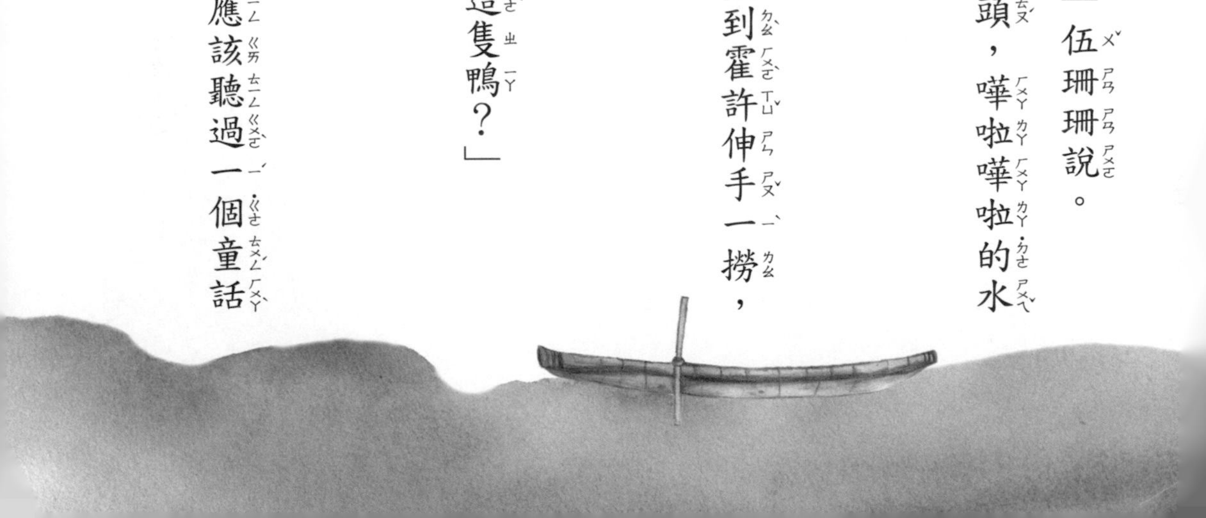

故事，有隻醜醜的小鴨，長大變成天鵝。」霍許說完，那隻小鵝又叫了一聲，邁開腳步，朝可能小學的餐廳跑去。

「那裡是餐廳，你不能進去。」伍珊珊想阻止牠，「你進去會變成薑母鵝。」

那隻小鵝卻像吃錯了藥，啪躂啪躂跑得極快，從大門進去，溜過成排餐桌，跑進儲藏室，等霍許和伍珊珊一追進去，「碰」的一聲，儲藏室的門關起來，亮起一盞黃澄澄的燈。

伍珊珊拍拍門，門外沒有聲響，小鵝無辜的看著她。

這間儲藏室裡頭被打掃得乾乾淨淨，正中央有張桌子。裡面既沒有蔬菜水果，也沒有米糖油鹽，另一邊好像有個出口，但是門推不動。

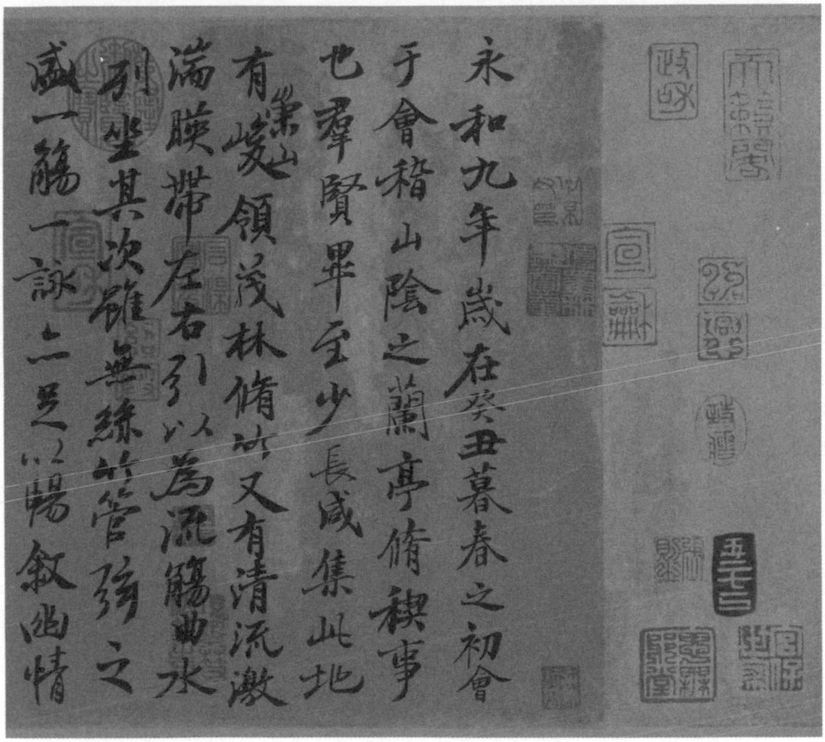
永和九年歲在癸丑暮春之初會
于會稽山陰之蘭亭脩稧事
也群賢畢至少長咸集此地
有崇山峻領茂林脩竹又有清流激
湍暎帶左右引以為流觴曲水
列坐其次雖無絲竹管弦之
盛一觴一詠亦足以暢敘幽情

不過，牆邊有個藍色的密碼鎖，暗光浮動。

「這或許是間密室。」霍許走近那張桌子，桌上有塊布，布上頭寫滿密密麻麻的字，還被人蓋了數不清的章。

「是蘭亭集序。」伍珊珊只瞄一眼就知道了：「這是乾隆皇帝最愛的書法作品，但是，它和這間密室有什麼關係？」

「什麼是蘭亭集序？你說說

看，我猜線索一定在這裡頭。」

「這是大書法家王羲之寫的字，還有，這不是真跡。」

「所以這是複製品囉。」

「不，我的意思是，真跡已經不見了。這幅字是後代的大書法家們臨摹寫出來的，即使這樣，這依舊是乾隆皇帝最愛的墨寶之一。」

「這上頭到底寫了什麼？」

「永和九年的春天，王羲之和一群文人朋友去蘭亭修禊。」

「什麼是修禊？」

「你一直吵，我說不下去了啦！」

「遇到不懂的事就要問，不然我怎麼解謎？」

「我爸說修禊本來是一種祭祀活動，後來演變成曲水流觴的文人遊戲。大家在彎彎曲曲的河邊用一種樣子像盤子的酒杯裝著酒，讓它順著水流，杯子停在誰面前，誰就要吟一首詩，否則就要喝掉那杯酒。」伍珊珊的爸爸是故宮研究員，她常聽爸爸說各種國寶的知識。

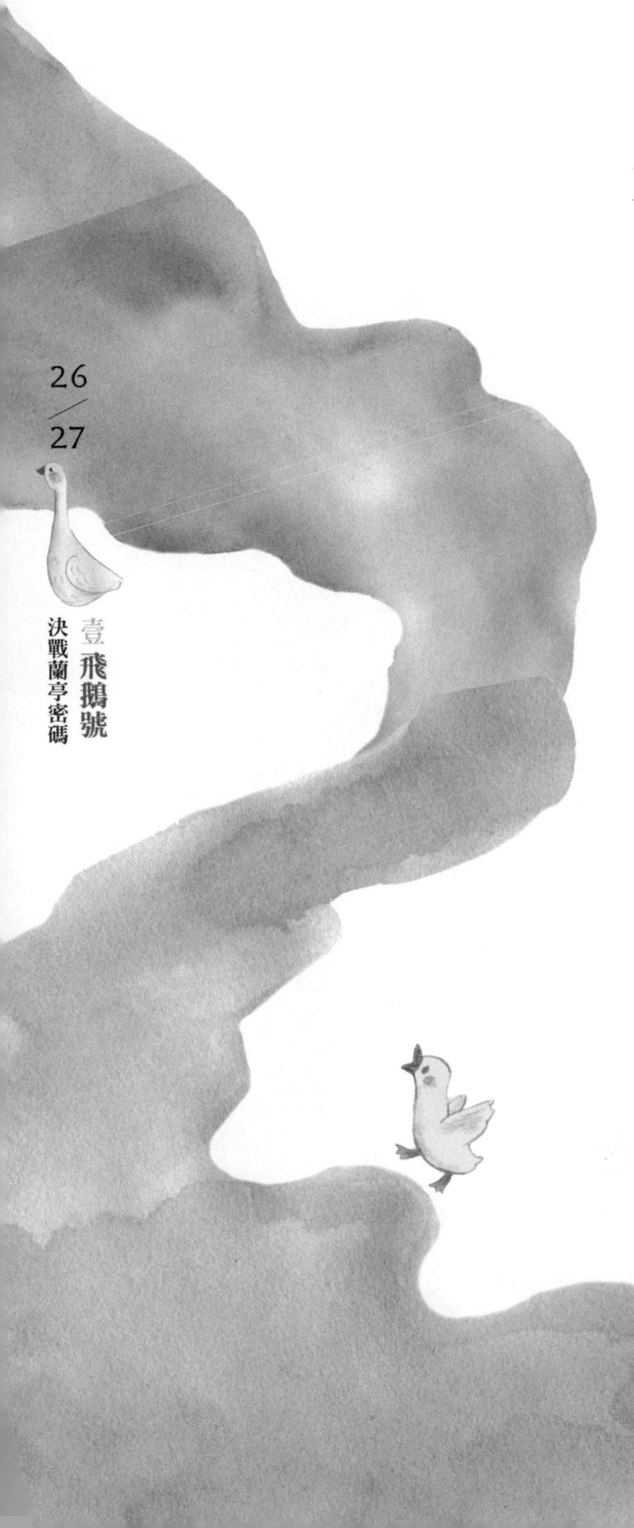

「為什麼不放巧克力牛奶呢，不然優酪乳也很棒啊。」

「那個年代還沒有這些東西，好嗎？總而言之，那一年的修禊，大家寫了很多詩。王羲之就替他們集結起來的作品寫序，這就是蘭亭集序的由來，我說完了。」伍珊珊難得說得這麼快，自己說完拍拍胸口：「你想到什麼了嗎？」

霍許笑著把布條揚一揚：「我知道了。」

「又是諧音字嗎？」

「不，這些印章裡，有一顆印泥紅得特別奇怪！」

伍珊珊把布接過去一看，咦了一聲：「真的耶，沒看過這麼紅的印章。」

「所以有蹊蹺。」霍許笑。

「那你還讓我解釋那麼久。」伍珊珊把布拿近看了好一陣子：「只是印泥顏色怪，會不會是印壞了？」

「你看不出來嗎？」

伍珊珊再次看了看印章：「啊，這印章只有數字，第一個字是5。」

霍許給她一個讚賞的眼神，伍珊珊接著大叫一聲：「剩下三個數字是273，5273。」

「那還站著？」

「不然我要坐著嗎？」

「你應該去按密碼啊，把密室的門打開，然後我們就可以逃出密室啦。」

「啊！對，我都忘了。」

伍珊珊按下密碼，咔的一聲，門無聲的滑開了。

他們走出外頭，吹來一陣風，外頭是可能小學的校園後面，可可溪在他們面前轉了個彎，伍珊珊伸個懶腰：「太帥了，逃出密室的感覺真好。」

「可惜我感覺不太好，比賽應該還沒結束，因為這裡有艘怪船。」

在他們腳邊，有艘半公尺長的木船擱淺了。說它是船，是因為它有船桅，不過其實如果加個翅膀，說它像飛機也可以。

「你是說，比賽還在進行中？」

霍許點點頭，伍珊珊把船抱了起來：「它沒有馬達，也沒有槳，這麼小我們又不能坐上去，除非它是帆船，否則就只是一塊木頭而已。」

「船帆？船帆？」霍許的眼光停在伍珊珊身上：「你別動。」

「難道你想叫我推著船走？」

「不是，」霍許把她的圍巾拿下來，是那塊印有蘭亭集序的布條，

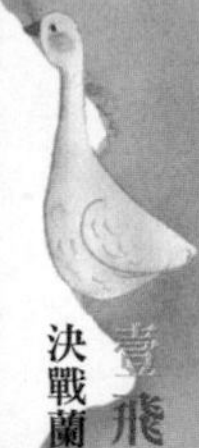

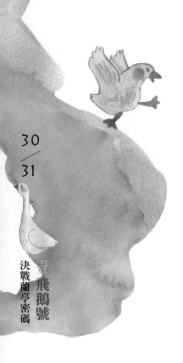

「密室逃脫裡的每樣東西都有它的用意。」

「你的意思是，我們要邊推著船走，邊念蘭亭集序？」

霍許把正方形的布對角一摺，掛在船桅上：「怎麼樣？」

船帆一掛好，咚的一聲，船艙上的小門突然彈開，彈出一塊木板，上頭有幾行字：

決戰蘭亭密碼——

恭喜您找到飛鵝號。從現在起，決戰蘭亭密碼將進入一段遙遠而充滿了未知的旅程，請進入竹林，跟隨清風。

謹記，蘭亭修禊即將開始，追循王羲之的腳步，找到他。

「什麼『找到他』？我們不是已經逃出密室了嗎？」伍珊珊有點不滿。

「不，比賽還沒完，先把船放下去，看看會怎樣！」

霍許把飛鵝號放進可可溪裡，一陣風吹起來，蘭亭集序的船帆鼓了起來，它立刻在可可溪裡航行起來。

風搖葉動，沙沙的響著。

可可溪從這裡進入竹林裡，河道變窄了，水流變快了，他們得加快腳步才跟上「飛鵝號」。前方出現竹林，青翠的竹林夾著溪岸彎成了拱

門般，他們彎腰低頭，在穿越那道竹林拱門時，綠色竹門形成一道磁力圈，霍許的頭髮全豎了起來，伍珊珊的手指傳來一陣痲癢。

時間很短暫，但感覺很熟悉，好像……

上回穿越回古代，兩個人都曾有這感覺。

但是，這裡明明是可能小學後方的竹林啊。

竹林怎麼會變成磁力圈？

磁力拉著他們踉踉蹌蹌往前跑，青青綠綠的竹葉拂過臉龐，細細柔柔的電流流過全身，就在他們以為一切都將這麼天長地久持續下去時，竹林拱門到了盡頭，前方出現一片亮光——竹林出口到了。

「難道我們又穿越了？」霍許看著伍珊珊，伍珊珊也正張口結舌

的望著他。

兩個人很有默契，回頭望望出來的地方，竹林還是竹林，可是好像連日光、微風都變了。

「又是密室逃脫？」伍珊珊問。

「這裡沒有密室啊，只有竹林。」霍許興奮的說，「應該叫做竹林逃脫。」

「任務呢？」伍珊珊問。

霍許腦中登的一聲：「我們剛才讀過了，什麼決戰蘭亭密碼。」

「有蘭亭，又有密碼？」

伍珊珊看看四周，剛剛

他們在可能小學還是中午，然而，竹林裡的感覺卻像清晨。

平緩流慢的小溪，在金色陽光下輕快的歡唱，這條溪絕對不是可可溪，可可溪兩邊有水泥護岸，這裡卻是土堤，岸邊種滿了青草，小溪清澈，溪底的游魚自在的游著。

溪邊有些怪石，但那些石頭太漂亮了，有的直立像人，有的橫躺像臥佛，這些石頭一定是被人精心安排擺放而成的，似乎在向人招手，說著：「來我這裡坐坐，想要躺下來也不錯喔。」

溪邊也有松樹，有幾棵樹高大直立，撐出來的涼蔭像傘，長長的影子，投向草地；也有幾棵松樹彎曲低斜，彷彿伸掌歡迎人去它的樹蔭下坐坐。

這樣的畫面，伍珊珊覺得很熟悉，有那麼一瞬間，伍珊珊覺得自己是在水墨畫裡行走著，她在故宮裡見過不少水墨畫，畫中的意境就是這樣。

溪邊有涼亭，小溪上有小橋，怪石堆裡長出幾棵蘭花，幽香清雅。

這裡像是公園一樣。

但是，有哪一個公園能做出這樣的意境呢？

他們沿著溪走，但是「飛鵝號」不見了。樹林裡一道道日光把草地染成金色。安安靜靜的林子裡，突然傳來一個聲音——

「找到他！」聲音很大。

他們不禁停下腳步：「找到誰？」

「找到他！」那個聲音還在說話。

時空穿越機

修禊活動與蘭亭集序由來

相傳在戰國時代，有一年的三月三日，秦昭王在河邊飲宴，河中突然出現一位金人，送他一把寶劍，金人告訴秦昭王，用了這把寶劍就能稱霸一方，秦昭王恭敬的接受賜贈，後來，秦國果然一統天下，建立了秦朝。

從此，每年三月三日，人們到水邊舉行祭禮，稱做修禊。祭禮上，有的人會用香草蘸水，灑在身上，洗去不潔；有的則是曲水流觴，吟詠歌唱。東晉九年，王羲之跟四十幾個朋友在蘭亭行「修禊」之禮，曲水流觴，飲酒賦詩。他們一共寫了三十多首詩，集成一本蘭亭詩，王羲之再提筆替大家寫序，這就是有名的《蘭亭集序》。

更厲害的是，這篇《蘭亭集序》有三百二十四個字，凡是重複的字樣式都各不相同，其中二十個「之」字，每個之都各具風韻，讓人佩服。

後來，人們點評歷史上的書法作品，把這篇《蘭亭集序》評為「天下第一行書」呢。

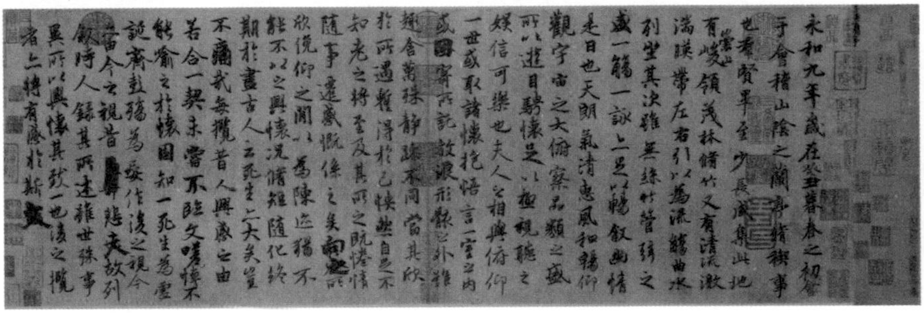

馮承素臨王羲之《蘭亭序》

貳 管家王缺

溪流在前面轉了個彎，河道平緩，景色開闊了。

聲音就從前面那群人裡傳來，說奇怪也不奇怪，那群人都穿著古裝，不過，看起來不像在拍戲。有人拿席子鋪地上，有人端盤子擺上去，還有幾個人抬著花盆，忙進忙出的。

其中有一個年輕的小鬍子叔叔，急得團團轉：

「找到他了嗎？誰快去找到他啊？」

鋪席子的人說：「沒空，沒空，客人快來了。」

端盤子的搖著頭：「不行，不行，廚房裡的事情太多了。」

抬花盆的連頭都沒抬，他們的衣服全都溼了。那盆花像桌子一樣大：「王缺管家，你讓讓啊。」

王缺後退一步，差點撞上伍珊珊，他仔細看看伍珊珊，像老鷹盯上了小雞：「就你們沒事？」

「啊？」伍珊珊後退了一步。

王缺指著他們：「還站在這裡？蘭亭修褉什麼都不缺，就缺他這個男主人。」

「蘭亭修褉？」霍許腦子裡叮咚了一下，飛鵝號的提示上也有提到這個詞，「跟蘭亭集序有關嗎？」

「什麼蘭亭集序？是修禊，你在右軍府裡多久了？三月三日蘭亭修禊，這……大晉王朝四大家族都會來，我的小祖宗啊，你們快去把主人找出來。」

「大晉？我們在晉朝？」他們相互看了一眼。

「哎呀，我的小祖宗，你們的頭一定發燒了吧，既然有空發燒，

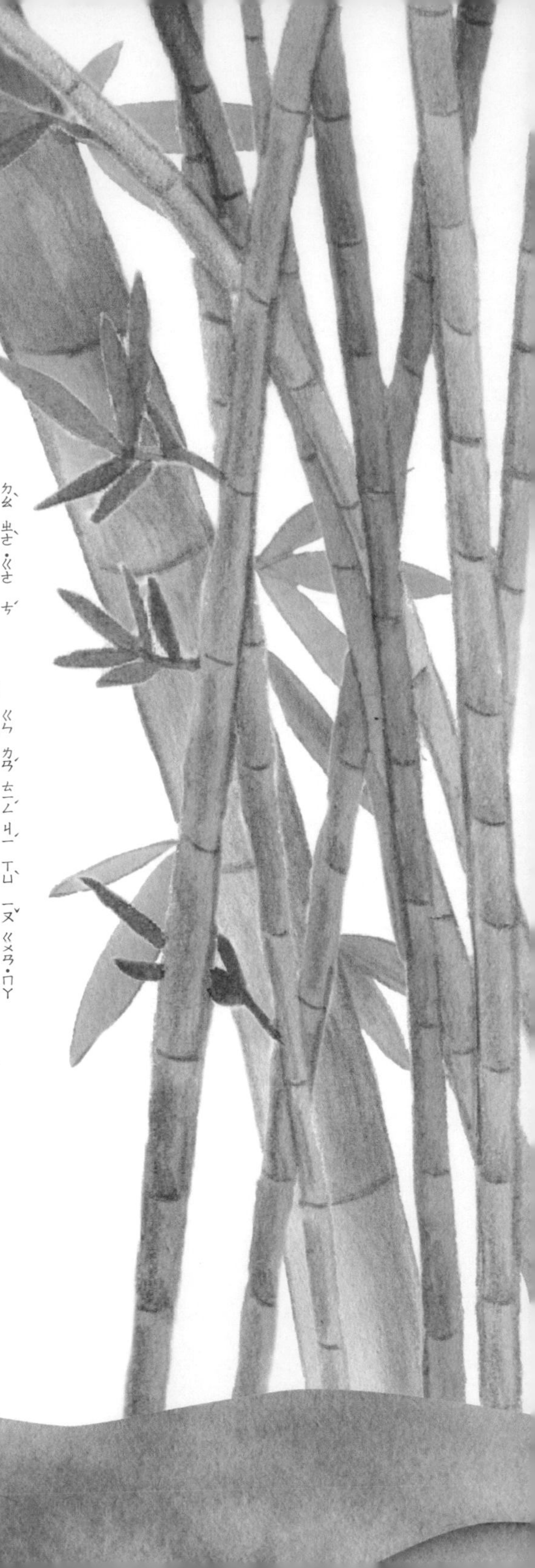

怎麼還不去找人呢？」

霍許大概弄懂了，溪邊這群人都是僕人，他們正在為一場盛會做準備，但是主人不見了，小鬍子王缺是管家，他負責指揮僕人。

霍許猜，這麼多僕人，他不可能個個都認識，所以他告訴王缺：

「我們今天才剛來報到，還沒見過主人，你請那些僕人前輩去找比較快。」

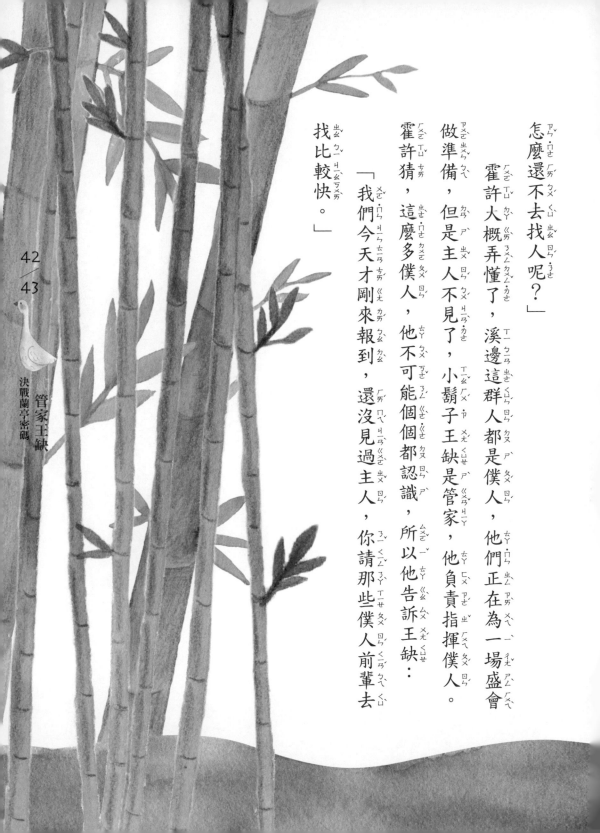

王缺哼了一聲：「什麼僕人前輩？僕人就是僕人。」

樹林下，幾個僕人停下手邊動作：

「王缺管家，我得幫李大人擺席子。」一個僕人說。

「王缺管家，我要幫謝大人放鮮果。」另一個僕人說。

「人家，人家正在找茶水。」還有個僕人指著一旁的小姑娘：

「應該派她去，她沒事。」

那個小姑娘撇撇嘴：「誰說我沒事，馬大人喜歡涼蔭，我得站這兒別動，替他擋著偶爾照下來的陽光。」

「馬大人還沒來呢。」僕人們都笑了。

「但陽光先來了啊。」那個小姑娘嘆口氣：「馬大人最風雅了，他坐的地方，不能晒太久的日光。」

「個個淨找理由，個個裝忙。」王缺沒好氣的指著霍許和伍珊珊：「看到了沒有，王府上上下下忙成一團，大家有事做事，沒事也都裝作有事，就你們兩人游手好閒，還不快

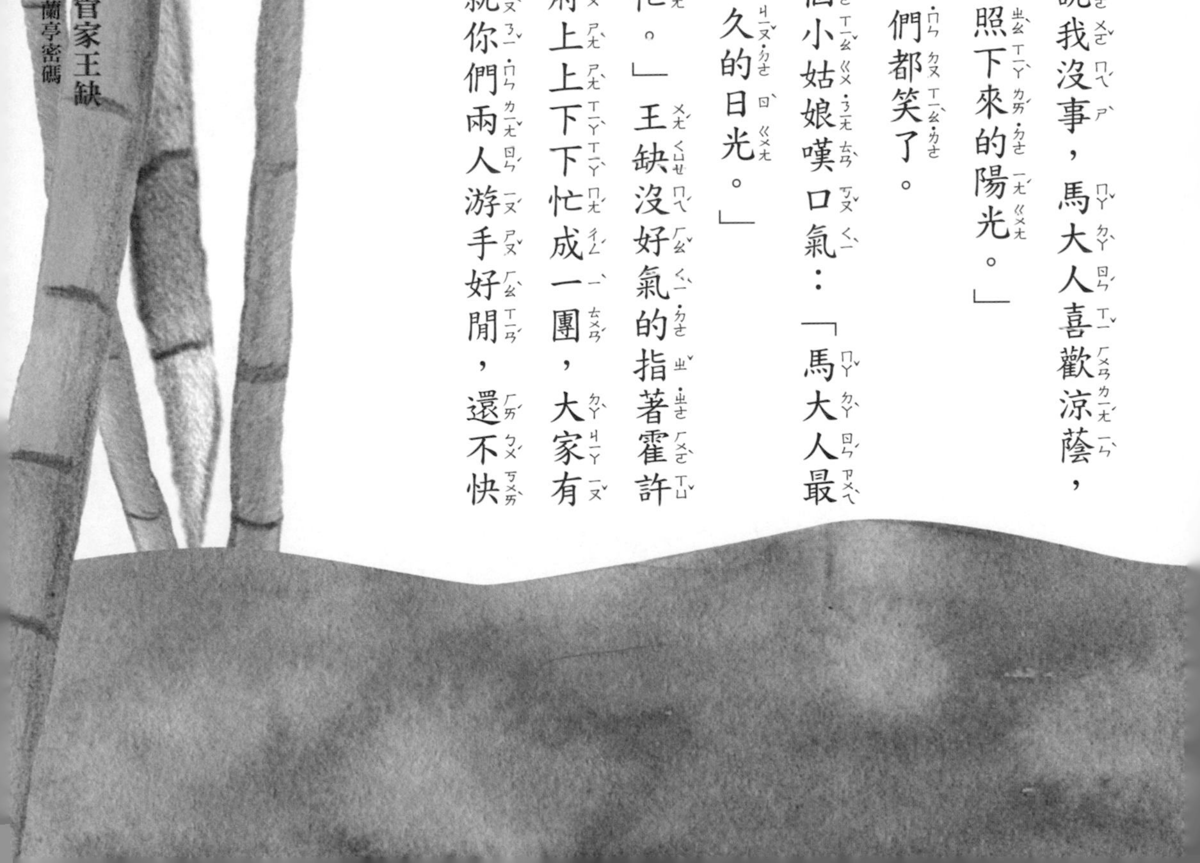

去找主人，找他回來接待客人。」

「既然大家都這麼忙，我們當然要幫忙。」伍珊珊問：「你可以告訴我們，主人可能在哪個方向？我們要往哪兒找？」

王缺的鬍子都氣到站起來：「我要是知道他在哪兒，我還要派你們去找嗎？」

倒是他旁邊的僕人們有志一同，停下邊工作，磨墨的不磨了，找茶的不找了，擋陽光的挺直了腰，一起說：「這個時間，

主人通常在鵝池。」

霍許覺得有趣極了，「你們都知道，為什麼自己不去找？」

一聽這句話，磨墨的磨墨，找茶的找茶，擋陽光的繼續擋陽光，搬花盆的恢復原姿勢，但都有志一同：「我們忙啊。」

「你們總該告訴我們，主人長怎樣吧？」伍珊珊委屈的說：

「人家今天才剛來啊。」

剎那間，風停雲散，整個林子裡的僕人和管家全都異口同聲的說：「我們家的主人——右軍大人，高高瘦瘦，風流倜儻，一手寫字，一手寫詩，一邊看鵝，一邊學鵝。」

「那個鵝池……鵝池在哪裡呀……」伍珊珊想問個清楚，人卻被霍許拉著走。

伍珊珊急著說：「他們還沒告訴我們鵝池在哪兒呀？」

霍許好整以暇的說：「就在這兒呀。」

「這裡是『河』。」

「河總是通向池塘、小湖的，跟著小河走，準沒錯。」

平時伍珊珊動作慢，走路都跟在後頭。但是今天不一樣，她急著去找右軍大人，霍許跟在後頭沉吟：「我們這次來到什麼晉朝，然後要去找什麼右軍大人，這應該就是這次竹林逃脫的任務吧。想找右軍大人，得先找到鵝池。」

順序已定，霍許走路就變快了，一下子又走到伍珊珊前頭。

小河在林子裡向前蜿蜒，這裡的坡度很小，河水流得很慢、很慢，河邊草地上都鋪了席子，鋪好的席子上有個小木几，茶几上放著文房四寶，旁邊擺設杯子、盤子等食具。

「他們是準備要野餐嗎？」霍許好奇的猜測。

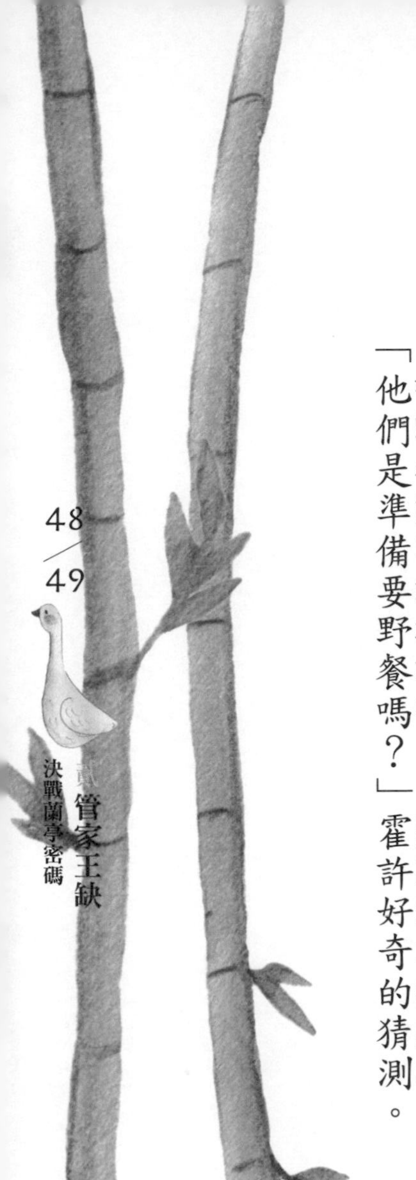
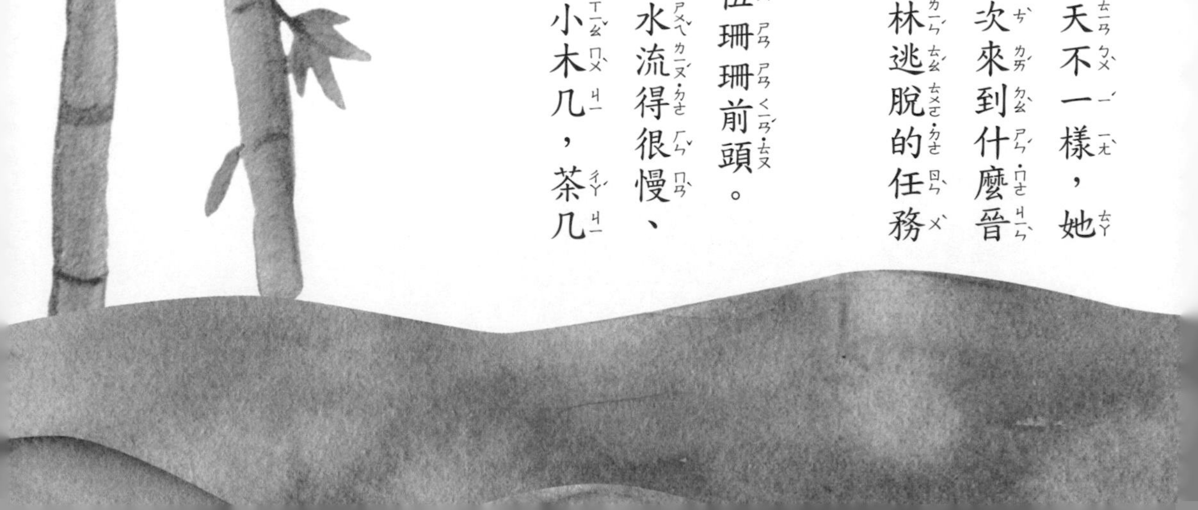

「天氣這麼好，在河邊野餐最棒了。」

伍珊珊也喜歡戶外活動，她挑個席子坐下來。咦，坐下來後，視角又不同了，藍天變高了，河水變近了，嘩嘩水流還有徐徐的涼風，她拿起一個杯子：「如果把杯子放在水上……」

水流極慢，杯子靈巧的在水面漂浮。

「曲水流觴。」伍珊珊拍拍手。

霍許學她，拿了個杯子放到河面上，杯子隨著水流慢慢的往下游漂去。水的速度不快，伍珊珊跟著它，走到下一張席子旁邊，把它接起來：「這好像機關王辦的帆船大賽。」

「應該說是機關王學曲水流觴設計比賽吧。」霍許把杯子放回原來的席子上，看看河的走向：「走吧，我們趕快找到右軍大人，『找到他』，完成任務。」

時空穿越機

曲水流觴

曲水流觴是中國古代流傳的一種遊戲，這種遊戲非常古老，參加的人不但要會喝酒，還要會吟詩，想參加的人真的得有兩把刷子才行。

這個遊戲是怎麼來的呢？

相傳在周朝的時候，人們三月三日要修禊，在河邊舉行祭祀，說那是個月白風輕的晚上，周王一不小心，把一只「酒觴」落入水面。它隨波漂浮，被人撿起後，將酒一飲而盡，賓主盡歡，傳為佳話。

「酒觴」是那時的酒杯，這個故事被後人取了個浪漫的「月光禊洛」，從此，曲水流觴就成為三月初三的主要活動了。

「曲水流觴」活動的進行，首先要在水邊建一個亭子，挖出彎彎曲曲的溝槽，再引入河水。文人騷客們分坐在小河流水的兩旁，在上游放置酒杯順流而下，酒杯就會隨波逐流而下。當酒杯停在誰的面前，誰就取杯飲酒，並現場吟詩一首，這種雅事儀式也意味著能祈福、除去災禍，免除病痛。

明 錢穀 蘭亭修禊圖

蘭亭曲水圖，山本若麟繪

參 自古名士多寂寞

小河穿過林子，河的兩邊各有一個人，一胖一瘦。他們一人坐一張席子，隔著河的兩岸在聊天。

他們的衣服都寬寬鬆鬆的，袖子長長的，外加臉上有幾綹鬍子，伍珊珊低聲的說：「他們有點像是神仙耶。」

「神仙應該不用吃東西。」霍許指指席子，上頭有點心盒。

這兩人聲音大，比較瘦那個說：「老徐啊，你是有什麼開心的事嗎？怎麼幾天不見，變胖了呢？」

比較胖的老徐搖搖頭：「老孫啊，你最近為了什麼事憂傷呢？我看你變瘦了。」

「我呢，就是清靜淡泊的志向一天天增加，汙濁的思想一天天去掉而已！」老孫說完，還往天空看了一眼，那樣子說有多寂寞就有多寂寞，說有多憂愁就有多憂愁，簡直像個模特兒。

胖胖的老徐哈哈大笑：「我恰好跟你相反，我覺得自己思想越來越淡泊，肚裡的空靈之氣越來越多，身體快活就胖啦。」

「淡泊只能讓人瘦，你想想，你淡泊心志，自然不會去追求吃好、喝好、睡好。」

「錯錯錯，淡泊了，心胸開闊了，即使喝水你也是開開心心的，心寬體就胖，你懂不懂？」

「誰不懂，你才不懂！既然心志淡泊，就不該胖成這樣。」

「只有心頭煩憂的人才會瘦，我看你對最近國家大事很擔心？」老徐說。

老孫急忙否認：「我這人一向只注重清談，從不理會什麼國政軍事的，我只擔心我家門前那片野花還沒開。」

「三月初三了，花還沒開？」

「花期都過了。」

「你擔心花？」

「煩啊。」

「看吧，你連一朵花都掛念，怎麼會淡泊心志呢？」老徐笑完，抬頭看看遠山，又低頭看看游魚，再也不理老孫在旁邊解釋。

老孫急得直跺腳：「我不是那意思，我說，我不是那意思！」

老徐依舊不理他。

老孫喊了十幾聲，哼了一聲。回頭恰好看見伍珊珊：「那個僕人，你過來。」

伍珊珊嚇了一跳：「我？」

「當然是你，那個你，你知道我是誰吧？」

伍珊珊當然不知道，她怯怯的問：「你是……」

「沒關係，你心裡知道我是誰就可以了，去幫我倒茶來。」

「茶水啊？我們現在要去找右軍大人。」伍珊珊說。

「右軍大人嗎？哈哈，你快去跟右軍大人說，他最知心、最敬佩的好友孫綽就坐在這河邊，等著蘭亭修禊啊。」

「所以我是要去幫你倒茶，還是要去找右軍大人？」

「唉，你連辦事都不懂輕重緩急，難怪你是僕人，我是客人，」孫綽把一頂高帽戴了起來，繼續擺出他那要寂寞有多寂寞，要瀟灑有多瀟灑的仰天姿勢：「唉，天地悠悠，我還是自己在這裡淚流吧。」

「那個……」伍珊珊還想問個明白，袖子卻被霍許一拉，「我要去幫他倒茶嗎？」

「我覺得他比較需要一臺相機。」

「相機？」

「你不覺得他擺那些姿勢，就是要等人幫他拍照嗎？」

「可是這個年代，哪來的相機？」

「所以囉，他們只好故意坐那兒，等人去找他啊。」

霍許一說，伍珊珊再看孫綽一眼。

「霍許說得沒錯，他一下子擠眉弄眼，一下子仰天長嘆：「天地悠悠啊……」

「看不懂。」伍珊珊說。

「你當然不懂，他是晉朝名士風範啊。」胖子老徐的語氣充滿敬仰：

霍許也問：「什麼是名士風範？」

老徐看他一眼，搖搖頭：「自古名士多寂寞，你們只是僕人，哪懂名士們清談的快樂呢。」

河對面的孫綽在那裡拍拍手：「老徐啊，沒錯沒錯，你果然也是我的好朋友，來吧，咱們隔江互敬一杯酒。自古名士多寂寞，名士的知己當然也只有名士了。」

他們突然不鬥嘴了，一個讚對方有眼光，另一個稱對方品格

高，一來一往，說得不亦樂乎，似乎忘了伍珊珊和霍許還在一旁。

這下子，不必霍許拉，伍珊珊帶頭順著河往下游走。

「再不走，那兩個『名士』又會叫我們去倒茶斟酒了。」她倖倖然的說。

「可惜，他們手上的酒不夠好。」霍許說。

「嗯？什麼意思？」

「名士要配名酒啊。」霍許笑，「酒不出名，怎麼當名士？」

「噓，這話可別讓他們聽到，否則，我們去哪兒找名酒給他們啊。」伍珊珊擔心的說。

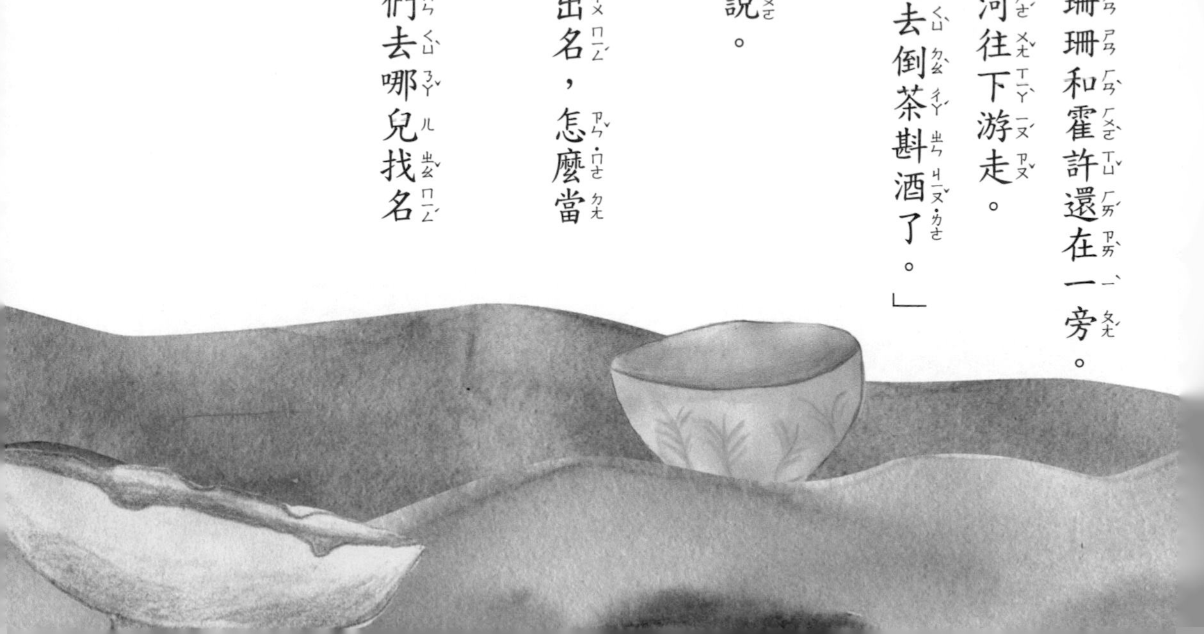

時空穿越機

魏晉時期的望族與名士

漢朝之後，大部分官位是由爸爸傳給兒子，兒子再傳給孫子，一代傳一代，因此到了魏晉時期，有許多名門望族。

魏晉時期有句話：「王與馬共天下。」一，話中指的是王家和司馬家。司馬家當皇帝，但是王家憑著家族力量，可以跟司馬家抗衡，後來有「謝」家興起。在魏晉時期三百多年間，望族子弟自小受過良好的教育，再加上家學淵源，像是王家的王羲之父子，謝家的謝安、謝玄叔侄等，都各引一代的風騷。

不過那個年代，因為戰亂連年，生離死別太輕易，人們發覺到生命的短暫和可貴。所以當他們意識到生命的長度不會增加時，他們選擇去拓展生命的寬度，無數的讀書人轉而追求生命的種種可能而成為名士。名士們縱酒狂歌、散發長嘯，敢於向權貴翻白眼，不問政事，追求老莊。

《世說新語》裡記載了當年名士的小故事，我們現在對當時名士的了解，很多都來自這本書。

竹林七賢。魏末晉初的七位名士：阮籍、嵇康、山濤、劉伶、阮咸、向秀、王戎。活動區域在當時的山陽縣，今河南輝縣西北一帶。

肆 男孩小七

曲水流進一個寬闊的池子，幾隻鵝在池邊走，池中有涼亭，亭中有一塊比人還高的石碑，上頭只寫了兩個大字：

鵝池。

好多鵝衝著他們叫。

嘎嘎嘎嘎。

高大的松樹下，有一個男孩在池邊寫字，他穿的衣服明顯與剛剛看到的人不同，服裝上繡了花紋，腰上繫了玉石，看起來不像僕人。

男孩面前有兩疊芭蕉葉，他正專心的把字寫在上頭。寫完的扔成一疊，那是好高的一疊；沒寫完的在另一疊，只剩幾十片。他一遍一遍臨摹寫著「鵝池」兩個字，鵝群在旁邊那麼吵，他卻好像沒聽到。就連霍許和伍珊珊都走到他面前了，他也沒發覺。

霍許把腳步聲踩得重重的：「請問你有看到右軍大人嗎？」

男孩沒理他。

霍許提高音量：「請問你有看到右軍大人嗎？」

男孩終於停下筆，他好像覺得很有趣，笑咪咪的問：「找他有事嗎？」

「我是伍珊珊，他是霍許。王缺管家說蘭亭修禊快開始了，家裡什麼都不缺，就缺右軍大人這個男主人，王缺管家讓我們來找他。」

男孩微笑：「我在這裡寫了這麼多字，沒有其他人來過。」

「沒人來過嗎？」伍珊珊問：「大家都在忙，你卻在這裡寫字，請問你是主人、僕人還是客人？」

「你猜猜。」男孩臉上始終帶著笑容。

霍許看看他：「你穿得光鮮亮麗，絕對不是僕人。能在這裡寫字，你應該不是客人，所以一定是主人。」

男孩笑起來，臉頰邊有酒窩：「猜對了，右軍大人是我爹，我是小七。從剛才到現在，我只見到鵝大夫，沒見到右軍大人。」

伍珊珊問：「什麼鵝大夫？」

「就是這些鵝啊，牠們全是我爹封的官。那隻有黑點的是墨大夫，全身雪白的是雪大夫，發呆的傻大夫，水面上的是泡大夫。秦始皇封五棵松樹做大夫，我爹封家裡的鵝當大夫。」

「泡大夫？」伍珊珊不懂，「什麼泡大夫？」

「泡大夫不愛上岸，爹說他一定是命中缺水，才能天天『泡』在水裡。」泡大夫以為男孩在叫牠，呱了一聲，抬頭挺胸，兩隻翅膀拍了拍。

小七拿著筆凌空比劃：「你們看，泡大夫的樣子，像不像『永字』？」

伍珊珊歪著頭看半天：「看不出來。」

小七興奮的在芭蕉葉上連寫三個永字，「像不像，你們看我寫的像不像牠呀？」

霍許和伍珊珊看看小七寫的永字，再看看展翅伸腿的泡大夫。

「有點像……但是……」霍許還沒來得及把話往下講，小七拍著他的肩，開心的又跳又叫：「沒錯吧，沒錯吧！爹果然說得沒錯，寫字要學鵝。你們仔細瞧，泡大夫的頭像不像永字的點，只有

鵝才能這麼靈活的活動，你們再看看那對翅膀，簡直就是永字兩邊的撇和捺，就是要學鵝，才能把字寫得那麼神氣。」

伍珊珊指著另一隻鵝：「但是，墨大夫也張開翅膀了啊？」

小七點點頭，在芭蕉葉上快速寫下另一個永字。

「你好像沒寫好。」霍許說，「這個永和原來的永不一樣。」

「當然要不同啊，」小七解釋：「一張書信裡如果有十個永字，你該怎麼辦？」

霍許老實的說：「那就乖乖寫十遍啊，寫不好還要重寫耶。」

小七不贊成：「既然要寫十個永，就要寫出十種不同的『永』，就像鵝一樣，這些鵝大夫雖然都很神氣，但是，牠們每一隻都有自己的形態，所以我爹才會這

麼愛鵝，天天來看鵝。」

「或許，剛才在你後頭站的那個人也很愛鵝。」霍許說。

「誰站在我後頭？我怎麼不知道有人站在我後面？」

「剛才你有聽見鵝大夫叫嗎？」

「你們來之前，鵝大夫都很安靜。」小七埋怨著，「你們來了，牠們才聒噪起來。」

「那就沒錯了，」霍許指著小七背後的兩個腳印，「你那時候一定寫得太認真才沒注意到。這個人在你後頭站了很久呢，所以腳印才會這麼深。」

小七皺著眉頭說：「如果是陌生人來，鵝大夫一定會通知我。」

「鵝大夫沒叫，表示他們認識這個人。」伍珊珊說。

「鵝大夫最熟悉的人就是我爹。」小七伸腳和腳印量了量，「而且這是大人的腳印，一定是我爹來過了。但是，他怎麼沒叫我？」

「我們剛才來的時候，你也不理我們啊，」伍珊珊說：「你太專心了。」

「我爹上哪兒去了呢？」

地上有兩道足跡，一道通向院子，另一道往林邊延伸。

霍許想了想，仔細比對腳印方向，然後笑了，「你爹從林子來，追著鵝往院子裡去了。」

鵝？」

霍許點點頭：「你看，地上有被你爹的腳印踩過的鵝大夫的腳印，證明右軍大人在後，鵝大夫在前，他在追鵝。」

伍珊珊問：「追著鵝往院子跑去，難道右軍大人想要做烤鵝或燉鵝嗎？」

「你千萬別讓我爹聽見這話，」小七壓低聲音：「他最愛鵝了，但不是喜歡吃鵝喔，而是因為他喜歡看鵝。這裡叫鵝池，石碑上的鵝字就是照著鵝的動作寫出來的，我天天在池邊練字，練了一年多，你們看看，我寫得怎麼樣？」

小七這一說，霍許和伍珊珊仔細看著碑上的字，這才發現每一筆都氣力萬鈞，就像隻抬頭挺胸的白鵝。伍珊珊忍不住用食指跟著「鵝」字比劃：「我爸爸說，學書法的人都愛鵝，王羲之就非常愛鵝。」

小七忍不住笑了：「我爹就是王羲之啊。」

伍珊珊尖叫一聲：「右軍大人就是王羲之？寫『快雪時晴帖』的王羲之？」

霍許問：「什麼快雪時晴帖？」

「那是故宮三大名帖之一啊，」伍珊珊興奮到語無論次了：「小七，你爹在哪兒？」

「什麼宮？什麼帖？」小七笑著搖搖頭：「想找我爹不必去皇宮，既然我爹在追鵝，我們就去追我爹吧。」

時空穿越機

王羲之的名帖

一千多年來，王羲之不斷被臨摹的「帖」，多半是他寫給朋友們的信，像是「快雪時晴帖」、「奉橘帖」和「遠宦帖」都是王羲之隨手寫下的書信，這些信，字數不多，以現代眼光來看，就像一則則的「簡訊」，文字雖短，情感平實樸素。

像是「奉橘帖」，短到只有十二個字。這是王羲之送橘子給朋友附帶的一張便條，內容強調橘子未經寒霜，未可多得。而「何如帖」只是問候，卻傳遞著王羲之歷經戰亂流離之後，頓感人生的虛無頹廢。

其中乾隆最珍愛的《快雪時晴帖》，其實只有A4紙那麼大，臺北故宮每隔三年才會展出一次，每次只展出四十天，你要很幸運 很幸運，才能見到它。

在乾隆皇帝的一生裡，只要時逢春花秋月，冬寒雪落，他都要取出《快雪時晴帖》來觀看，順道在上面題詩作畫。如果你有幸見到這帖，可以數一數，看看乾隆皇帝在上頭留下的七十多處題跋喔。

《奉橘帖》

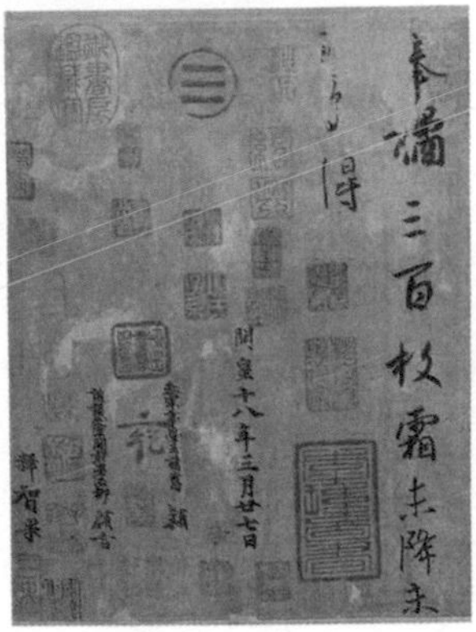

《何如帖》（局部）

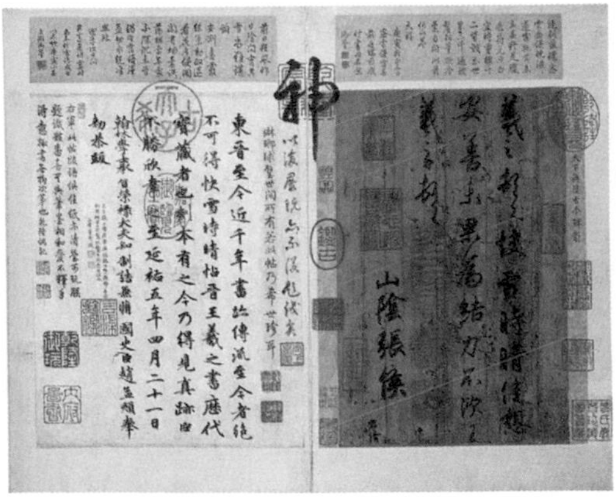

《快雪時晴帖》（局部）

伍

一「點」也不像

白鵝呱呱往前跑，王羲之拚了命的在後頭追。

光想那畫面，伍珊珊就覺得好笑。

「堂堂的大書法家王羲之居然追著一隻大白鵝四處跑？」

伍珊珊恨不得趕快找到王羲之，她邊想：「可惜爸爸在故宮裡工作，沒陪她來上課，要是讓他知道，她今天會遇到王羲之……」

「爸爸應該會嚇到眼鏡掉下來吧？」想到這裡，伍珊珊忍不住又笑了。

「這沒什麼啊，」小七笑著說：「我爹愛鵝的事，大家都知道。就算讓他在鵝池邊一整天，他也看不膩呢。」

他們正想跟著腳印走進院子時，沒想到，門口有一個美麗的婦人趕著一隻鵝過來。

那個婦人看起來年紀沒超過四十歲，留著長長的辮子，穿著粉色的長衫，瓜子臉，要不是那隻大白鵝在她面前走，怎麼看都像是印在水墨畫裡的人物。

「娘，你有看見爹嗎？」

小七喊著，走到那婦人身邊。

伍珊珊只覺得呼吸急促：「這是你娘……」

婦人只顧著跟小七講話：「字練好啦？」

「我寫了好幾疊了。」小七興沖沖的領著婦人到鵝池邊。他把芭蕉葉拿起來，一片一片遞給王夫人看，「我天天寫三千個字，現在跟爹比起來，應該差不多了吧？」

王夫人看得很仔細，一片片翻，一字字仔細看。

霍許跟在旁邊，一下子看看石碑上的字，一下子看看小七寫的字。照他看起來，小七的字寫得跟他爹真的好像，一筆一劃都像極了，簡直就像同個模子印出來的。

「小七天天練這麼多字當然好，進步很多，但跟你爹來比，嗯……」王夫人從那一疊芭蕉葉下，抽出最底下那一片：「池字最上頭那一點，有你爹的味道了。」

「就那一點？」

王夫人和藹的點點頭：「不錯了，外頭多少人想學你爹寫字，他們學一輩子都學不成，你卻能有這一點像，還不滿足啊？」

如果是一般人，聽說自己的字跟王羲之有一點點像，應該很開心。

小七卻哭喪著臉，拿起那片芭蕉葉說：「昨天我在

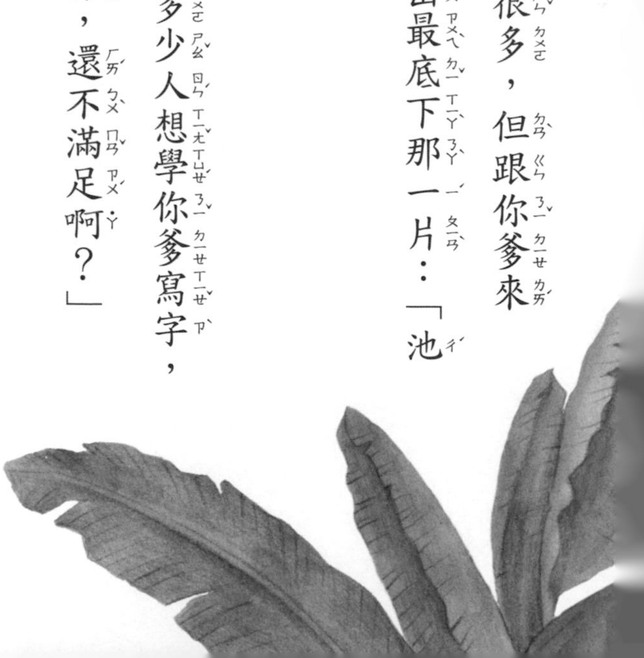

這裡練字，爹經過時，看了一眼，隨手拿起來替我點了一點，要我照著寫。」

伍珊珊驚訝極了：「原來，連那一點都是……」

「你看，我跟爹的字，一『點』也不像啊。」

王夫人揉揉他的頭：「小七，吃得苦中苦，方為人上人，當年你爹也是經過苦練才有現在的成就。你也一樣，既然日寫三千字還不夠……」

小七擦擦淚：「那我寫六千字。」

「那倒也不必。」王夫人抬頭看看鵝池，她指著池邊的水缸說：「就那水缸吧，你如果能寫完水缸裡的水，或許就追上你爹了。」

「我立刻去練字，你們兩個，」小七指著伍珊珊和霍許，「快來幫我磨墨和鋪芭蕉葉，我要練字。」

「我們？」他們嚇一跳，小七真把他們兩個當成僕人了。

「我們得先去找右軍大人。」只是現在該去哪裡找他呢？霍許想著。

王夫人笑：「他啊，他本來追著一隻鵝大夫跑。後來聽人說市集

有個攤子的鵝特別好，鵝也不追，人就走了。」

「所以，爹去市集了？」小七跳起來：「我去找他。」

「你爹都幾歲人了，時候到了，自己就回來啦。」

「但是今天蘭亭修禊，王缺管家說，家裡什麼都不缺，就缺男主人。」

時空穿越機

王羲之和他的兒子

東晉時的王羲之，有書聖之稱，他七歲就跟著書法家衛鑠學習書法。王羲之練習得很勤奮，據說他的家附近有一個水池，王羲之每次練完書法都在那裡洗筆，久而久之，池水都變黑了，而且竟然能直接蘸取當做墨水使用。

王羲之在書法史影響巨大，被後人譽為古今之冠。但是，他的作品都已經失傳，即使是現在故宮收藏著名的《蘭亭集序》、《快雪時晴帖》等，都是後來的書法家臨摹的。不過即使是臨摹的作品，我們還是能從那些作品裡，感受他書法的美。

讓人佩服的是，王羲之不只自己書法好，他的七個兒子也都是書法家，就像北斗七星，讓東晉的書法藝術多了一番聲色。其中，王徽之與獻之的成就也很大，目前臺北故宮「三希堂」裡，王羲之與王獻之父子占了「兩希」。其中，王獻之的《中秋帖》，筆力渾厚通透，酣暢淋漓，看起來一點兒也不輸老爸呢！

王獻之《中秋帖》

王羲之

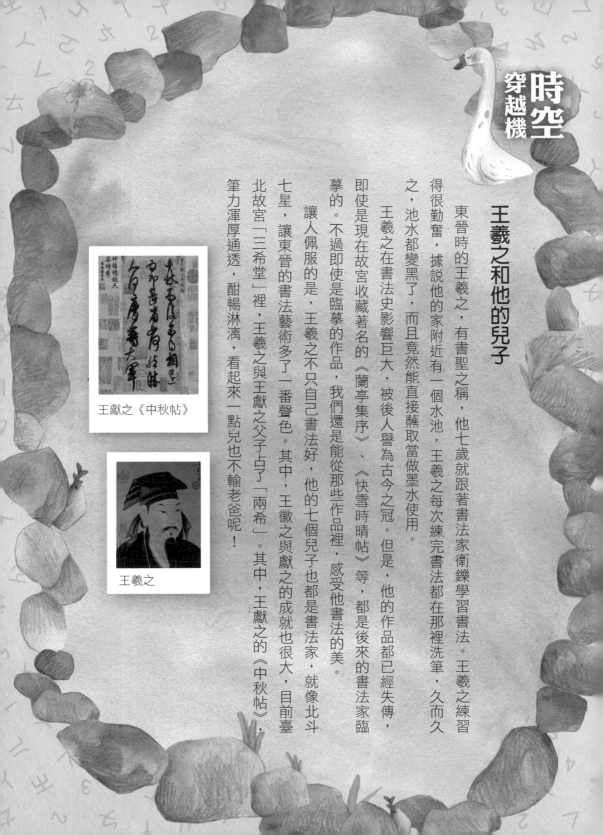

陸 東床快婿的床

市集就像傳統菜市場，人聲鼎沸，熱鬧非凡。

趕集的小販，貨物全擺地上，賣青菜的，賣藥材的，賣活雞活鴨的，有剃頭攤子，也有熱騰騰的小吃，人群中還有一隻豬，大搖大擺的走來走去。

這裡人太多了，擺攤做買賣的小販、逛市集買貨的婆婆、嬸嬸和

大叔，人們把市集擠得市集水洩不通。

王夫人說了，王羲之是來找賣鵝的攤子。

霍許、伍珊珊和小七一進市集，先看到一個戴著斗笠的叔叔，他的攤子上有一群小鵝。

那群小鵝，呆呆的望著老闆叔叔；老闆也呆呆的望著牠們。

霍許判斷：「右軍大人看了這些鵝，應該寫不出什麼好字。」

小七贊成：「我家的鵝大夫，每隻都比牠們靈活。」

霍許看看四周：「再去別的地方找吧。」

他們走了幾步，後頭突然傳來一聲「呱」。

有一隻小鵝跟著他們，伍珊珊一蹲下，這隻小鵝就跳到她懷裡。

「你要跟我去逛市集啊？」伍珊珊問小鵝。

「呱！」

「好吧，『呆頭鵝』，你可別亂跑喔。」伍珊珊抱著牠，跟著大家往市集裡走。這個市集越往裡頭，人越多，可能小學的園遊會都沒這麼多人。她擠進去，腳步一滑，竟然往後一倒，咚的一聲，躺在一張床上。木頭床，硬梆梆的。

賣床的老闆是個高高瘦瘦的中年人：「小姑娘，把這張床帶回家，你跟它有緣。」

人才不會跟床有緣呢，而且，伍珊珊也不需要在晉朝買床：「謝謝，不用了。」

「我們家的床，是城東老師傅做的床，真材實料，睡一千年也不

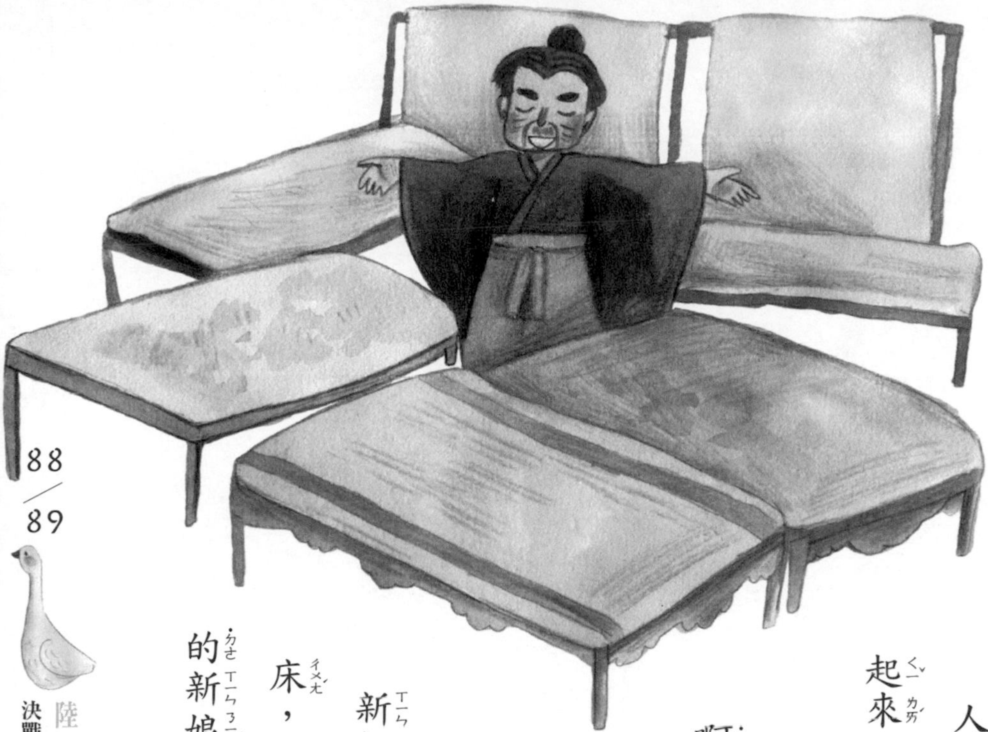

會壞。」

人才不會活一千歲，伍珊珊帶著小鵝站起來：「真的不用。」

「城東師傅的手藝是全城第一好啊。」中年老闆不無可惜的說，「你要是睡在這張床上，就能嫁個如意郎。」

「為什麼？」霍許擠到伍珊珊身邊。

床老闆看看他：「自古英雄出少年，新郎不怕年紀輕嘛。買了城東師傅手藝的床，你就能跟右軍大人一樣，娶到嬌滴滴的新娘。右軍大人當年躺的床，就是城東師

傳做的床！」

「右軍大人？」小七眼睛瞪大了：「買床跟右軍大人有什麼關係？」

「關係可大了。」一隻胖嘟嘟的手拉著小七，那是個胖嘟嘟的大娘：「想當年，有個大官，叫做什麼……」

「郗鑒，郗大人。」床老闆補充說明時，小七身子震了一下。

「對對對，就是郗大人，他的女兒，號稱晉朝第一大美女想嫁人了，所以派人去王府挑女婿，挑來挑去，你們猜，怎麼啦？」

「我們猜不到。」伍珊珊說。

小七笑起來：「王家的年輕人很多，很難選。」

胖大娘拍拍手：「沒錯，這裡的人都知道，晉朝出最多英俊瀟灑、學問好的就是王家跟謝家，選女婿當然要去這兩家。」

「那怎麼選呢？拋繡球嗎？」伍珊珊問。

「當然不是啦，王府那些少年郎，個個穿出最美最帥的衣服，站出最風流倜儻的姿勢，該有多帥有多帥，該有多俊有多俊。負責來挑女婿的管家每個都喜歡，每個都滿意，可惜郗姑娘只有一位，只能嫁給其中一位。」大娘說到這兒搖搖頭，滿臉可惜的樣子。

「郗姑娘最後嫁給誰呢？」伍珊珊有興趣了。

「管家回到郗府，如實告訴郗大人：『王家帥哥多，個個玉樹臨風，隨便哪一個都能當郗大人的乘龍快婿。」

「怎麼可能一家人個個都是帥哥？」伍珊珊不相信。

「那倒是，我漏了一個沒有說，有一個人不及格。」

「誰啊？」霍許、伍珊珊和小七三個小孩異口同聲。

「有個小伙子，對選婿大會滿不在乎。別人爭著擺好看的姿勢，他卻理也不理人，就斜躺在東床上，還露出肚皮來。」大娘說到這兒，眼珠子一轉，笑盈盈的看著他們。

霍許點點頭：「郗姑娘最後一定是嫁這個小伙子。」

小七問：「為什麼？」

「這個年輕人因為不在乎，反而最受到注意。」

大娘拍拍手：「沒錯沒錯，這個小伙子就是王羲之，『東床快婿』說的就是他！」

三個孩子異口同聲：「所以你們才在這裡賣床、招攬客人？」

「當然啦，這是東床快婿的床！」胖大娘把頭髮一攏：「我家的床，是東山林子出的木頭，東林的樹木又直又香，睡一夜包準你神清氣爽，想娶誰就娶

誰，想嫁誰就嫁誰，當年右軍大人斜躺的那張東床，指的就是我們家東山林子做出來的床。」

「你應該說錯了，」一個老者加入戰局：「右軍大人睡的是我家『東床』。」

「你也有東床？」三個孩子齊聲問。

「當然。」老者點點頭。

「錯了，錯了，你的床不是城東師傅做的。」中年叔叔說。

「而且你家的床也不是東山林子做出來的床。」胖嘟嘟大娘說。

老者鬍子都白了，他得意的說：「日出東方，我這東床才開始做，一天只做兩時辰，太陽一過正午，絕不再動它一絲一毫，這才是真正的東床！睡我家的東床，你能感受旭日東升的朝氣，才能當真正的『東床快婿』。」

「買我的，城東師傅的手藝，這才是真正的東床。」

「東林的東床才是真正的東床。」

「旭日東升才對，當然要買我家的東床。」

三個老板你一言我一語，吵得不可開交。

三個孩子早就跑得遠遠的。

柒 扇扇婆

「所以，王夫人就是郗姑娘？」手裡抱著鵝，但伍珊珊依舊忍不住問小七。

「嗯……是啊！」小七尷尬的點頭。

「這個故事你也不知道？」霍許問。

「我只知道，我家有張床，那是我爹專用的床，但不知道是不是

他們說的那張『東床』。」

小七苦笑著走進長街，太陽更高，人也更多了。他們被人擋著，進也進不去，退也退不了。霍許踮起腳尖看看，原來會這麼擠，全因為一個賣扇子的婆婆。

婆婆把摺扇張開來，一把把掛在攤子上。

她喊著：「太陽起日頭晒，買把扇子搧一搧，搧蚊、搧蟲、搧熱又搧風。」

「太陽起日頭晒，買把扇子搧一搧，搧蚊、搧蟲、搧熱又搧風。」

人很多，大家圍著她的攤子，卻又不像要買扇子，一個個全抬著頭往上瞧。

他們三個也跟著抬頭張望。

攤子上，有根長竿，長竿上有把特別大的扇子，扇面俐落的寫了「清風」兩字。

「好字。」

「字真好。」

「是真跡啊，能見這麼一眼，三生有幸啊。」

伍珊珊不懂他們的意思，問了旁邊一個大叔：「那不就是一把扇子嗎？」

大叔瞄她一眼，輕蔑的搖搖頭：「什麼不就一把扇子？扇子上的字，看見了沒？」

「看見了，有什麼好稀奇的？」

「哎呀，瞧瞧你年紀小小，口氣卻不小，你知道寫什麼嗎？」

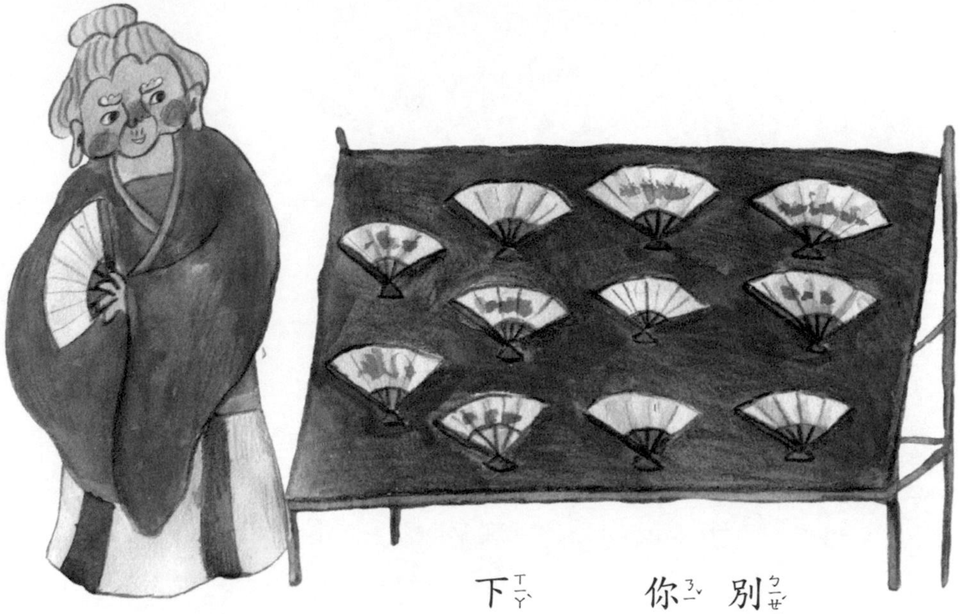

「知道啊。」伍珊珊說。

「瞎說，瞧你這小小年紀怎麼可能識字！別瞎說了，讀書識字，是大戶人家才有的資格，你這丫頭片子，不懂別裝懂。」

伍珊珊只好說：「是是是，那請您解釋一下，這上頭寫了什麼字？」

「大叔我活了大半輩子，大字不識半個。」

「你不識字，卻知道那字寫得好？」

「當然啊，那可是王右軍大人的筆跡啊，只要是他寫的字，一定好。」

大叔說到這兒，故意問問四周：「鄉

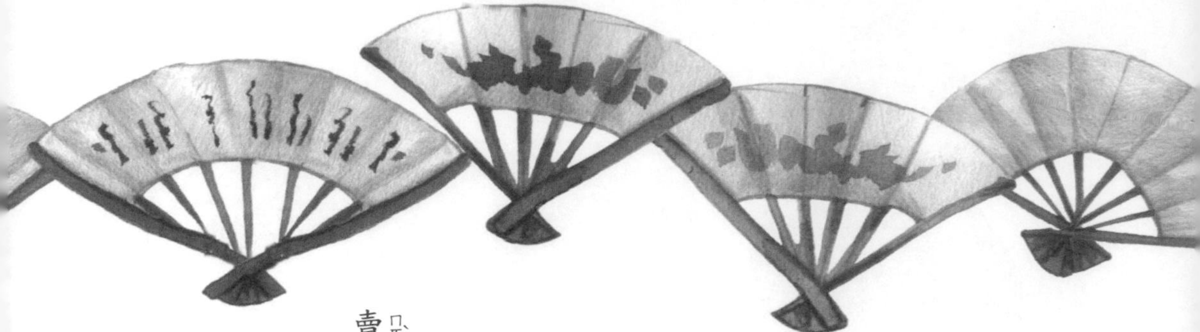

親們，右軍大人的字寫得好不好？」

「當然好啊……」人群爆出一陣歡呼。

「不管多少錢，我都願意買。」這大叔吼得特別大聲：「扇扇婆，這把扇子賣幾文錢？」

扇扇婆的扇子不搖了，「幾文錢？右軍大人的字，你賣屋賣田都買不起。」

「怎麼可能呢？」

「不過就是一把扇子。」人群議論紛紛。

霍許覺得有趣，他問：「這把扇子要賣多少錢呢？」

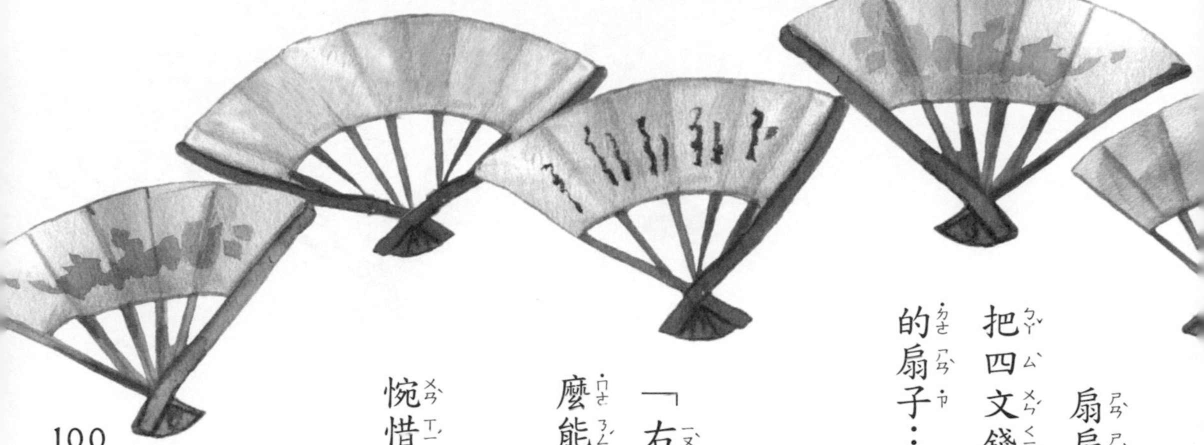

扇扇婆清清喉嚨說：「若是買我手邊沒寫過字的扇子，一把四文錢，若是畫了花或題了字的一把六文錢，但是右軍大人的扇子……」

她說到這兒，故意停了停，引得大街上突然一片安靜。

「不賣！」她的答案出人意外：「右軍大人寫來送我的扇子，怎麼能賣呢？」

她說到這兒，眾人發出一陣惋惜的聲音，霍許發現在場的人只有小七在笑。

「有什麼好笑的？」霍許問。

小七把他們拉到一旁，低聲的說：「扇扇

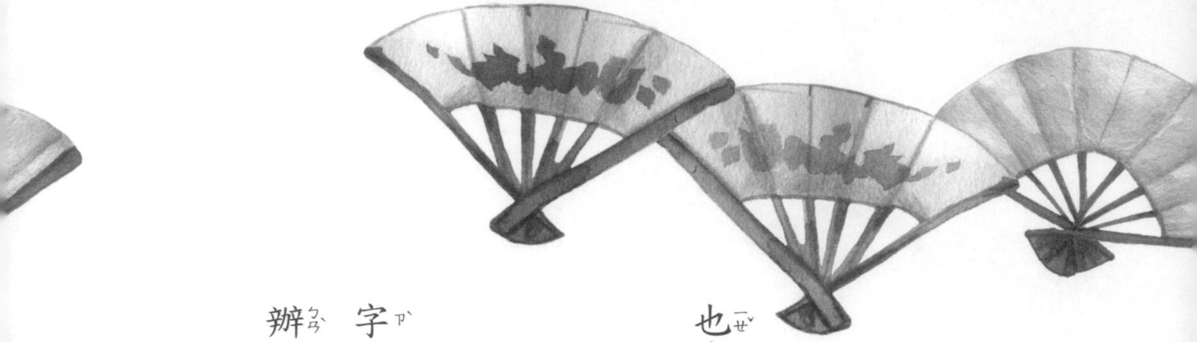

婆在吹牛！」

「怎麼說？」伍珊珊也有興趣。

「有一回，我爹經過長街，看見她賣了一早上，連把扇子也賣不掉，主動說要幫她題字。沒想到，她還不要呢。」

伍珊珊張大了口：「王羲之願意幫她寫字，她竟然不要？」

「她一定不知道王羲之是誰。」霍許猜。

小七給他一個肯定的笑容，「一開始，她很生氣。我爹寫字時，她就在一旁不停念叨，要他別亂寫，寫了沒人要，怎麼辦？」

「那右軍大人還寫嗎？」

小七笑一笑：「我爹說，要她拿了扇子到街上告訴人家，

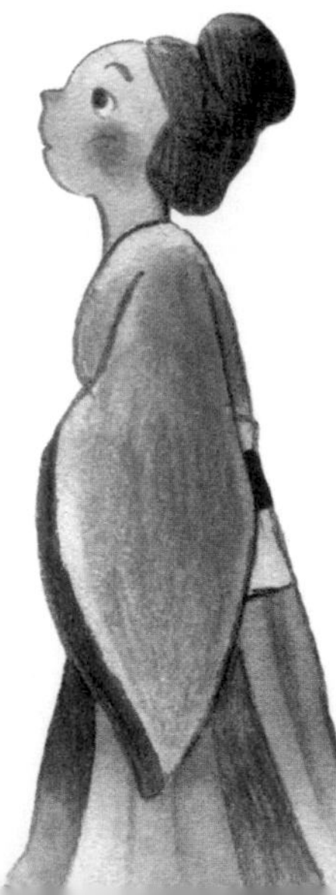

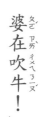

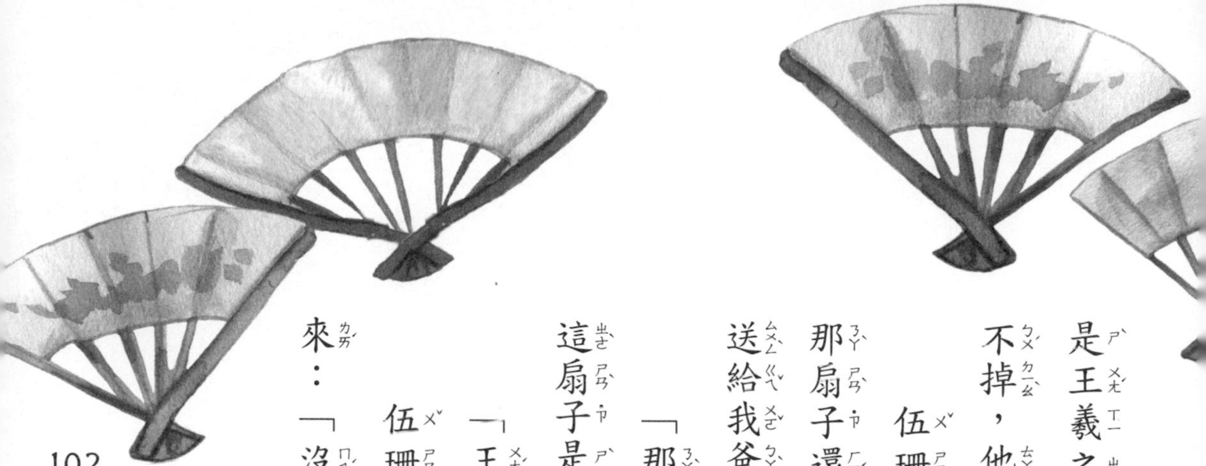

是王羲之寫過的扇子。如果寫了字的扇子明天還賣不掉，他會派人來全部買下來。」

伍珊珊忍不住問：「太好了，那扇子還有剩嗎？我要買一把回去送給我爸爸。」

「那些扇子啊？扇扇婆一拿到街上，告訴大家，這扇子是什麼王西之、王東之題了字的……」

「王東之？」

伍珊珊又笑了，小七也跟著笑起來：

「沒錯啊，她就是這麼說的，什麼王東之王西之寫的字，一

把只賣三文錢。」

「三文錢？還比沒寫的便宜一文錢。」

小七雙手一攤：「你說氣不氣人！還好街上的人一聽是我爹寫的字，全都擠過來，一把三文錢，瞬間賣掉十幾把，扇扇婆喜出望外，立刻提高價錢，加了一倍，一把要賣六文錢。人們掏錢不手軟，她的價錢也就越出越高，一把賣到十文、二十文，一百文，但是不管她賣多少錢，大家全都搶著要。」

「最後就只剩這把？」

小七點點頭：「現在，再多錢她也不賣。因為她只剩這把扇子，賣了就沒了。」

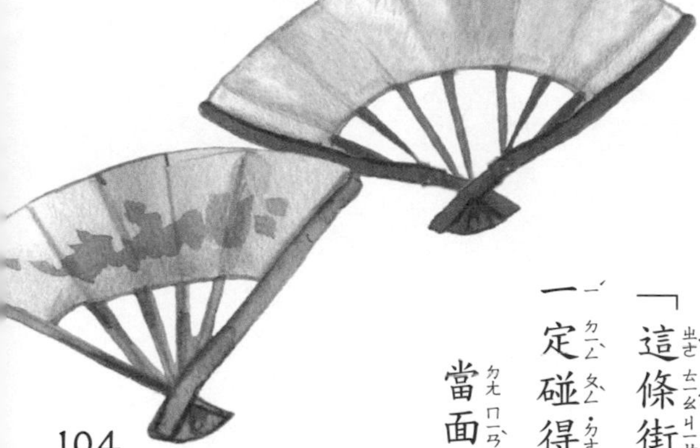

「那簡單啊，讓她再找右軍大人寫啊。」伍珊珊建議。

「救急不救窮，我爹一開始是憐憫她，讓她有錢買頓飯吃，誰知道她食髓知味，被錢財給迷了心竅，從此就在這條街上等，希望我爹再幫她題字、寫扇子。」

霍許說：「或許，右軍大人再也不逛這條街了。」

「咦？你怎麼知道？」

「這條街這麼小，右軍大人來了，扇扇婆一定碰得到，到時她再求右軍大人寫字。當面拒絕總是不太好，最好的方法，就是不再來這裡了。」

小七給他一個讚賞的笑容，「是啊，從此我爹想買什麼東西，都請僕人來買了。」

「但是右軍大人今天卻來市集看鵝……」

霍許側著頭思考時，剛才吼著要買扇子的大叔給扇扇婆提議：「既然你跟右軍大人是好朋友，我先付訂金，這樣總行了吧，我一次買十把。」

那人說完，立刻掏出手裡一串沉甸甸的銅錢。

扇扇婆見了錢，眼睛都亮了，「哎呀，這怎麼可以呢，我都還沒徵得右軍大人同意，哎呀，這實在不好……」

雖然她嘴裡這麼說，手卻搶著把錢收進來，「這我可說定啦！不過右軍大人不輕易題字的，他能幫我題一百把，不見得願意為大家再題什麼五把、十把的。買扇子不是買白菜，一把定價一千文，我先收五百文定金，一人最多一把扇子，至於題什麼字呢，反正各位跟我一樣都不識字，就請右軍大人隨便題，大家隨便拿，怎麼樣？」

「哎呀，那真是太好了。」一聽到有希望，大家都喊好。

「但是我錢不夠，怎麼辦？」剛才那個大叔問。

扇扇婆指著他笑：「這還不簡單，回家拿呀。我天天在這裡賣扇子，每天太陽還沒起來，我就到了，一直賣到日落西山才回家，全年無休，你回家拿，我在這裡等你。」

「太好了。」眾人發聲喊，然後轟然四散，全部爭相著回家拿錢。

霍許聽她這麼一說，心頭的想法一動，他又看看街的另一頭：「我們去那邊看看，找找右軍大人的線索。」

街另一頭是橋，橋邊有塊大石頭。

霍許站在石頭後頭看了看：「或許，你爹來過這裡，但他沒過橋。」

「真的嗎？」

「扇扇婆每天太陽還沒起床就在長街賣扇子，如果你爹來了，她一定會看見他。」

「但是扇扇婆今天並沒看到我爹。」

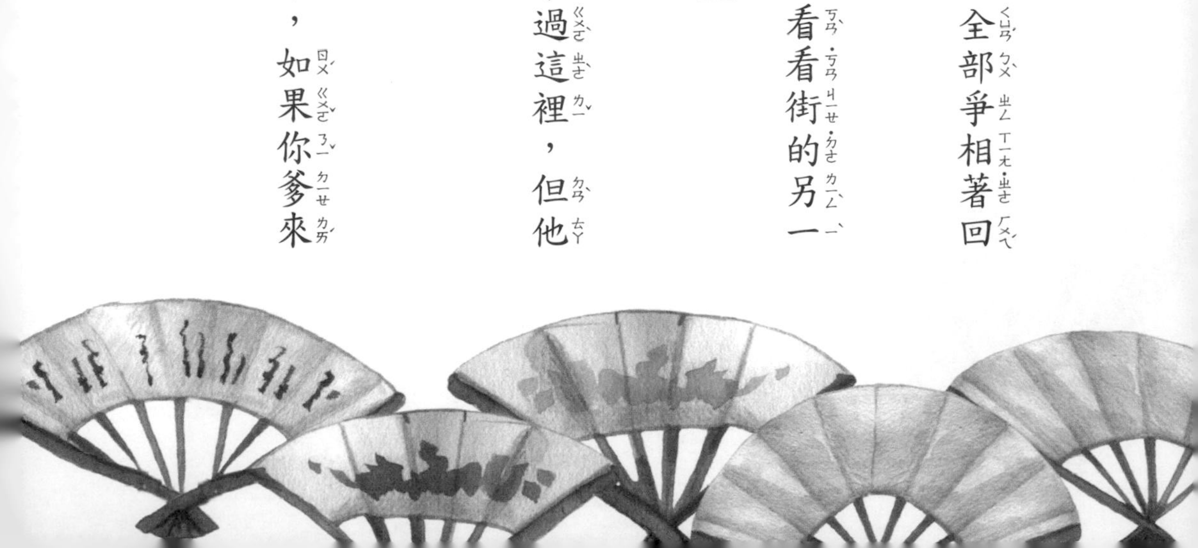

霍許把身子縮在大石頭後面：「今天早上，你練字的時候，太陽已經起來了，你爹是在那之後才來市集看鵝。他到了市集，扇扇婆早就在長街上了，所以他一定來到這裡後，在石頭後方站了一下，發現過不去，所以我猜，他一定調頭往另一邊走了。」

捌 老槐村黃鵝娘

橋的另一邊也是市集，大家聽說霍許他們要找右軍大人，每個人都興高采烈的說：「右軍大人去老槐村看鵝了。」

「老槐村的鵝，是這附近最好的鵝。」大家都這麼說。

「黃鵝娘家的鵝，是全老槐村裡最好的鵝。」

「要看鵝，一定要去老槐村的黃鵝娘家。」

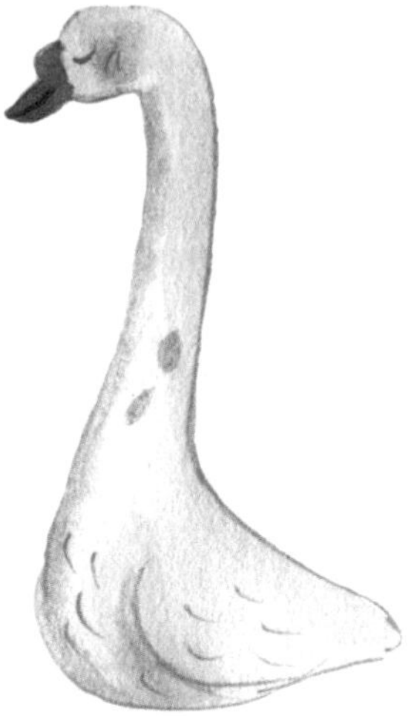

老槐村其實不遠，一想到就快要見到鼎鼎大名的王羲之，連一向動作慢的伍珊珊走路都快了起來。

「等一下見到王羲之，可以跟他要簽名嗎？」

光想到這裡，伍珊珊抱著呆頭鵝，偷偷的笑。小鵝不懂，呱了一聲。

老槐村在河邊，光禿禿的河岸邊有幾棵營養不良的樹，樹上有烏鴉，嘎嘎的叫著，霍許東張西望，見不到老槐樹，他本來以為這村叫做大槐樹，一定有棵巨大的樹呀，他們穿過幾戶捕魚的船家，問了人，沿著小路爬上坡，經過一座小廟，廟後就是黃鵝娘的家。

黃鵝娘看起來心事重重，她的家裡桌上擺滿菜，一屋子人，但人人喝著悶酒，連菜也不挾。

「右軍大人在這裡嗎？」伍珊珊雀躍的問，「我們來找他。」

「右軍大人？」滿屋子的人都站了起來，像做錯事的小孩，「我們……我們也在等他回來啊。」

「他走了？」小七急著問。

黃鵝娘一邊招呼他們坐，一邊說：「走了，剛剛走了，也不知道他在跟誰生氣呢。」

旁邊缺了門牙的老村長說：「『右軍大人』這麼大的官肯來老槐村走走，老槐村這不是要發財了嗎？我帶他四處轉轉看看，他看了老古家，看了村前的碼頭村後的道路，我還把全村老人都找來，讓他聽聽鄉親說說話。今年收成不好，如果右軍大人願意少派我們去當差，或是幫我們修座橋，去市集就方便多了。」

村長這麼一說，滿屋的人都點頭：「是呀，是呀。」

「他沒看鵝嗎？」霍許問。

村長搖搖頭：「他哪有空啊，村裡有那麼多事要辦，他幹麼要看鵝呀。」

「我們聽說他專程來看老槐村黃鵝娘家的鵝。」伍珊珊說。

「這鵝有什麼好看的？」村長吐了一口酒氣。

黃鵝娘挺直了腰：「右軍大人是懂鵝的人，要知道，我們家雖然只有兩隻大鵝，卻是當年跟著我母親逃難，從北方老家一路

帶過來的。」

「逃難？」霍許和伍珊珊不懂，「逃什麼難？」

黃鵝娘的眼睛瞪大了：「打仗還不逃呀，那一年，北方大混戰，我們的天子被人殺了，河北亂成一鍋粥，我母親就帶著兩隻河北飛鵝，跟著老槐村的村人一路渡江到這裡，路上肚子再餓，也沒動刀殺了牠們，總是想來到江南後，再好好養鵝，人說江南水土好，鵝能長得更好。」

「對啦對啦，人不親土親，土不親鵝親！」

「我們村就屬她們家的鵝好。」四周的村民好像全醉了，「看不到家鄉老槐樹，能看這幾隻飛鵝也好。」

「原來你們村沒有老槐樹？」霍許問。

「對呀，沒辦法把老槐樹帶到江南，只能把村名和鵝帶來。」村長說。

「就剩個村名和飛鵝。」滿屋子的人嘆口氣。

「那鵝漂亮嗎？在哪裡啊？」伍珊珊好想立刻看看鵝。

「對啊，」小七也說，「河北飛鵝到底長得怎樣？」

「大家都知道，河北飛鵝站如恆山凝重，動如朗朗清風，往水裡這麼一游……」黃鵝娘一定擅於說故事，她還在這兒停了一下，吊足三個孩子的胃口。

果然，他們三個同聲問道：「怎麼了？」

黃鵝娘這才說：「飄然若羽，就像一片鵝毛水面飄。」

伍珊珊笑：「這麼好的鵝，右軍大人看了一定很開心。」

小七也說：「右軍大人最愛鵝了，他一定高興極了。」

黃鵝娘有點遲疑：「開心？」

霍許看她的表情有異，於是開口問：「他看了鵝還不開心，這不太可能啊。」

黃鵝娘搔搔頭：「也不知道誰得罪了他，右軍大人本來很高興的，我家屋子裡從沒那麼多笑聲的，我也很開心。我和我的兒子把河北飛鵝往他面前一放，他就這麼大叫一聲，拍了桌子，站起來就走了。」

「走了呀？」伍珊珊和霍許相互看一眼，看來他們任務還沒完結。

村長急忙說：「我們沒說錯話。」

「沒人得罪他啊！」一屋子的村民搖著手，「大家都

在陪著他笑啊。」

黃鵝娘看著他們，納悶的問：「如果我們都沒得罪右軍大人，那怎麼我費了一上午功夫，殺了鵝，拔了毛，剁了骨，蒸了肉，兩隻河北飛鵝做成清蒸鵝肉、嫩煎鵝肝、快炒鵝腸還有鮮爆鵝掌，他竟然看也沒看，嘗也不嘗，就這麼氣呼呼的走了？」

三個孩子這才看清楚，原來桌子上擺滿的菜，竟然全是那兩隻河北飛鵝的料理。

「你把鵝殺了？」小七的聲音有點抖。

黃鵝娘點點頭：「鄉下人家，只有這兩隻鵝能招待貴客啊。」

村長還在旁邊附和：「全村的雞都太小，豬還沒肥，

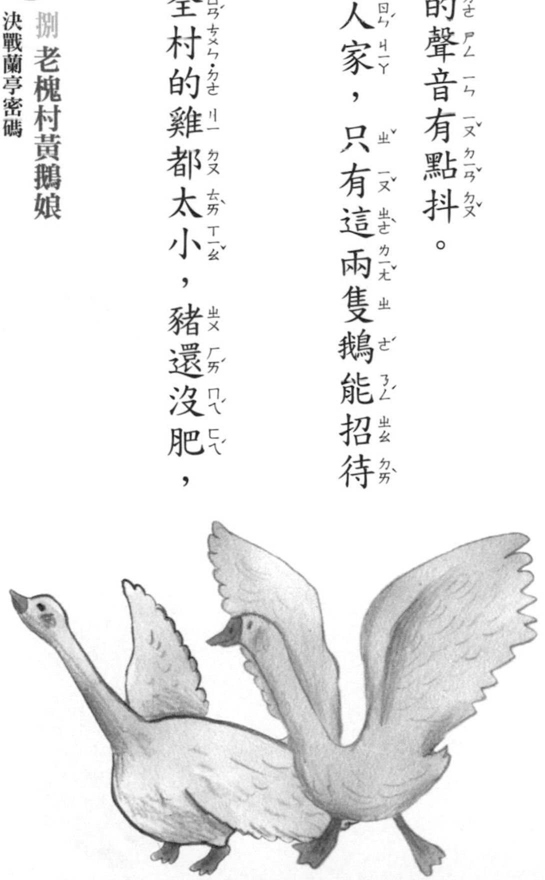

河裡魚太腥，我們就只有鵝。」

「是呀是呀，就只有鵝。」一屋子村民說，「是最好的河北飛鵝。」

小七搖搖頭：「右軍大人是專程來看鵝的。」

「他沒看哪。」全村的人說。

霍許覺得又好氣又好笑：「他是來看鵝走路，賞鵝划水，聽鵝唱歌。」

「不是來吃鵝？」黃鵝娘問。

三個孩子點點頭，小七還說：「他一定是想來找第五隻鵝大夫，如果找著了，今天的蘭亭修禊一定更熱鬧。」

霍許招呼他們：「走吧，右軍大人一定還沒走太遠。」

「怎麼辦，怎麼辦？」黃鵝娘急得團團轉：「大鵝上了

桌，氣走右軍大人。

「要是大人怪罪下來，呃……」村長臉紅通通的，不知道是擔心還是喝醉酒，說到這兒，他卻突然坐下來，一動也不動，好像睡著了。

醉了，醉了，滿屋子的男人好像都醉了。

黃鵝娘小聲的說：「跟我來……」

去哪兒呢？他們三個孩子滿頭霧水，難道是還有另一桌的鵝肉大餐？

他們跟著黃鵝娘走到後院，推開一間屋子的門，在稻草與竹籠圍住的圈裡，竟然是四、五隻毛絨絨的小鵝。

「好可愛喔。」伍珊珊把手中的呆頭鵝交給霍許，衝過去，蹲在地上逗著小鵝。

「我要麻煩你們，」黃鵝娘把其中一隻小鵝交給伍珊珊：「大鵝沒了，還好，還有牠，請你們替我送給右軍大人。」

「這是黃飛鵝？」伍珊珊問。

黃鵝娘點點頭，交代別讓外頭的人知道：「當年全村逃難，大家扶老攜幼都捨不得吃，留下牠們，代表我們思念家鄉的心情。」

「這不好吧，這是你們村人的回憶。」小七說。

「但是，右軍大人這麼喜歡鵝，一定會好好照顧牠的。」

他們說話時，門突然被人拍得砰砰響，有人在外頭喊：

「黃鵝娘，你不可以把黃飛鵝送人！」

「鵝種外流，咱們村的黃飛鵝就不稀奇了。」

「糟了，村長知道了。」黃鵝娘帶他們走到後門：「從這裡出去，別回頭，一直跑到江邊，我在那裡有一艘船。」

她正要開門，門後竟然也有人喊著：

「要走可以，留下小鵝。」

「要走可以，小鵝留下。」

敲門吶喊的聲音，氣勢洶洶，從四面八方傳來。

伍珊珊抱著黃飛鵝：「這下子哪裡都去不了。」

霍許看一看四周，如果門外站滿了人，往外是不可能，但是……「或許可以往上跑。」霍許說。

「往上？」

伍珊珊抬頭一望的同時，霍許比個噓，他爬上灶臺，站起身來，頭已經碰上屋頂了，這是間草屋，他用力一推，推開蓋著屋頂的草，鑽出去。沒多久，從上頭伸手下來：

「來啊，我拉你們出去。」

躡手躡腳，伍珊珊上去了，小七上去了，黃鵝娘揮揮手，壓低了音量說：「快走。」

老槐村的村子不大，屋子連著屋子，他們壓低身子，從這間房跑到另一間房，村子的路也不寬，連伍珊珊都很容易就可以往前跳……

「啊……」伍珊珊差點兒就掉了下去，小七眼明手快，一把拉住她，前頭的霍許回來幫了忙，兩人一拉，把她拉了上來。

「今天的運動量，抵過我在可能小學一整年。」伍珊珊說。

「或許，還沒跑完，注意，

巷子又來了。」霍許這回殿後，直看她跳過那條小巷，這才緊跟著她跳到另一邊的屋頂。

一跑就跑到了江邊，從緊鄰著屋宇的大槐樹往下爬。

江邊果然繫了一艘船，小七跳上去，解開纜索：「快上來。」

「你們男生別跑那麼快嘛。」伍珊珊在後頭喊。

「不快不行啊。」小七說。

「誰叫你貪心，一次要抱兩隻鵝。」霍許幫她抱起一隻鵝，催著她快走。

伍珊珊揉揉腿：「等一下不行嗎？」

「你回頭看看。」

伍珊珊跳上船後，回頭一望，天啊，整個老槐村的船全出動了嗎？江面上，竟然來了十幾艘船，站在最前面又叫又跳的是那個老村長。

「要走可以，留下小鵝。」

「要走可以，小鵝留下。」

追船來得急，他們沿江敲著鑼，齊聲大吼：

「要走可以，留下小鵝。」

這下不用霍許催，伍珊珊抓了一根槳：「小七，快划啊。」

他們的船像箭一樣駛出去，老槐樹很快

就變小了，江水湍急，帶著他們往前急行，他們快，但追來的船更快，這些村民多半是漁夫吧，那船每划一次，離他們就越近一點。

追著追著，銅鑼的聲音像追魂般，越來越讓人心煩。霍許沒划過船，他負責掌舵，控制船的方向，他很快就抓住訣竅，舵往左船就往右，只要把握住相反方向，他就讓船在江面上像條蛇，彎過來彎過去，一有船靠近，他用力一擺，船尾就把對方的船一擠，追船就擺橫了，接著五六艘船全停了下來，互相指責。

但村長率領的船還是追上來了，他們從左右兩邊包抄：

「停下來，把船停下來。」

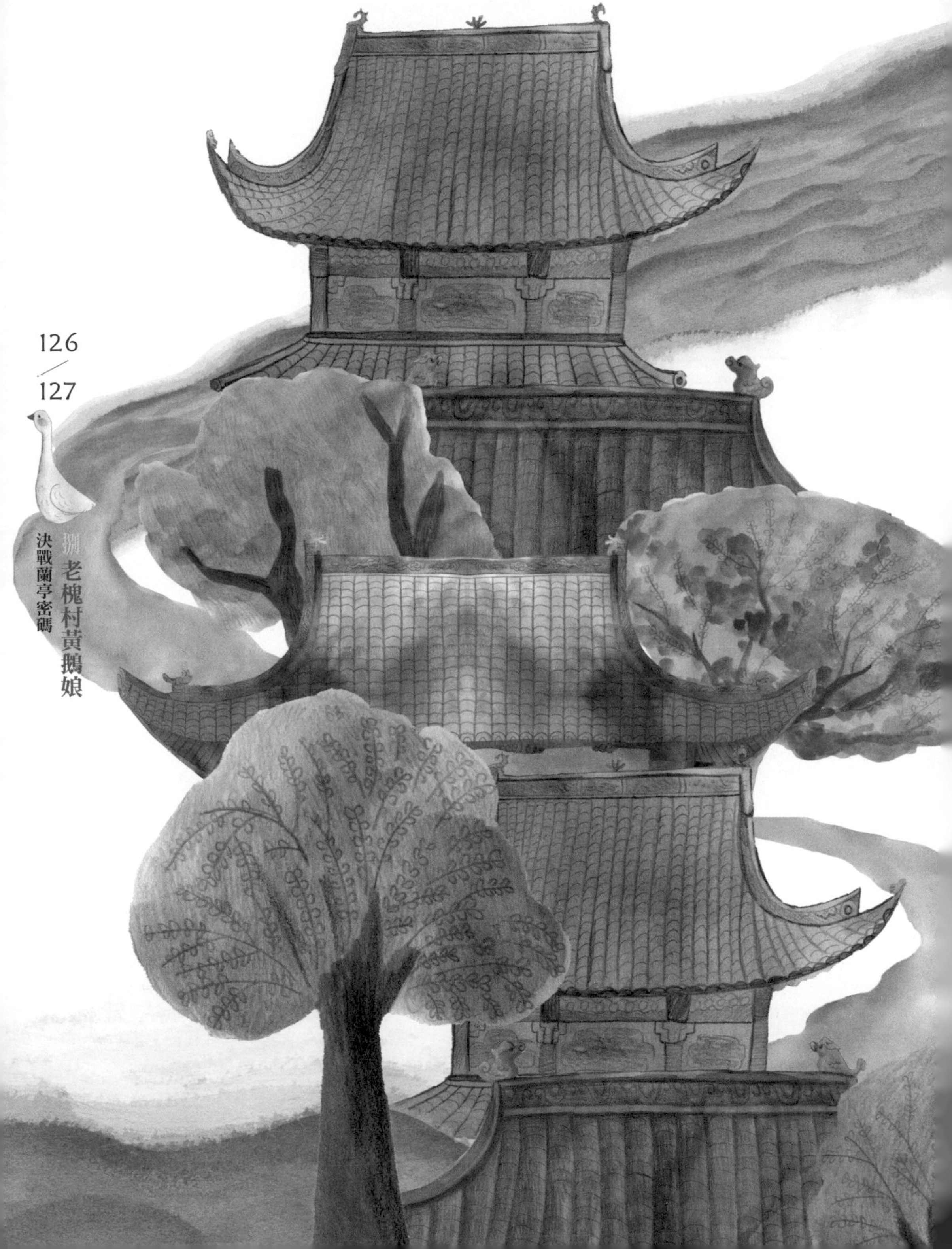

「停就停嘛……」伍珊珊有一百個願意，她實在划累了。

「不行。」小七雖然也很累，但仍不放棄：「鵝是要給右軍大人的。」

「就只是一隻鵝。」伍珊珊回頭，把腳邊的鵝往江中另一邊扔去：「別追了，別追了，就給你們了。」

撲通一聲，小鵝掉進水裡。

快敲的鑼聲停了，追來的船現在全改追那隻鵝了。

江面回到寧靜，小七愣愣的問：

「鵝……小鵝……」

「給他們了。」伍珊珊說。

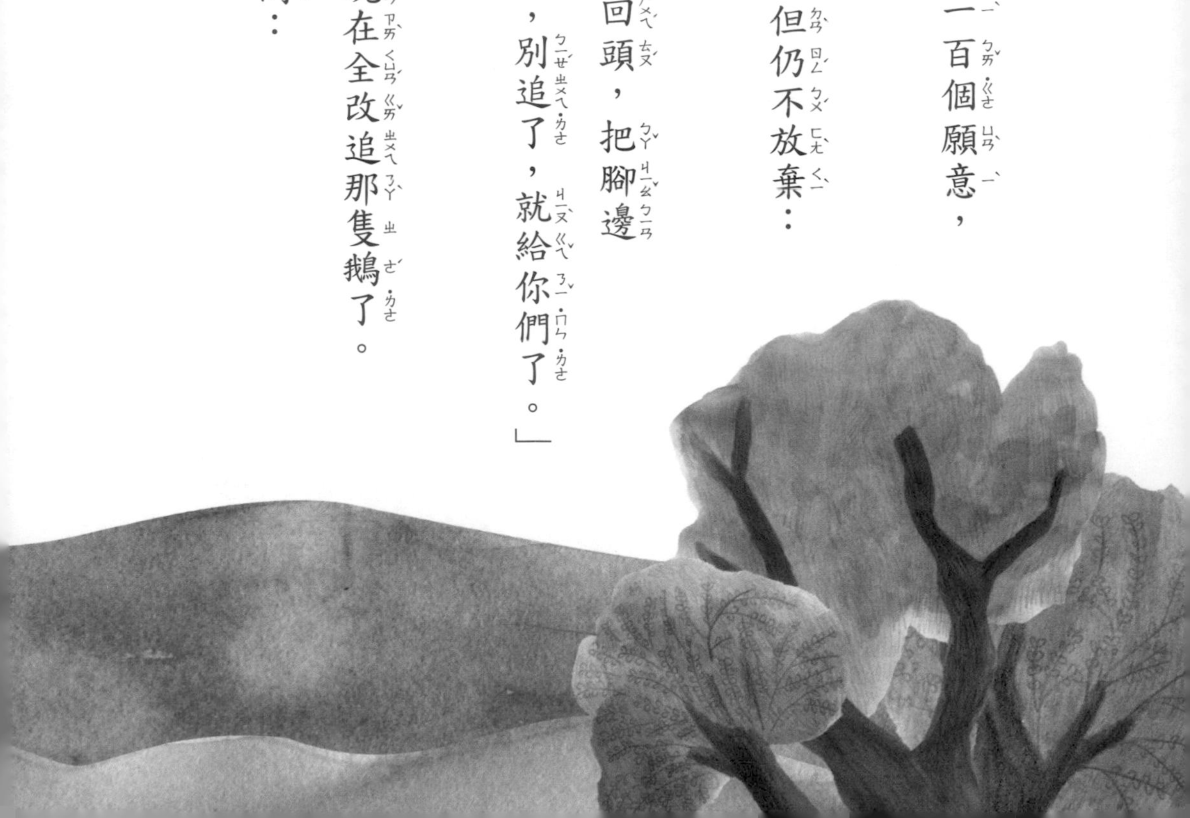

「可是，那是黃飛鵝啊……」小七看著那些船全都包圍那隻鵝，「右軍大人的鵝……」

「呱！」一隻小鵝從伍珊珊懷裡鑽出來。

「黃飛鵝！」兩個男生呆了，「所以那隻是……」

「那隻是呆頭鵝啊！」伍珊珊看看他們，「怎麼，你們也變成呆頭鵝了嗎？」

「啊？啊？啊？」

兩個男生同時爆出一陣笑聲，回頭看看老槐村的漁夫，他們正發出一陣歡呼——看來，他們也抓住那隻鵝了。

真是不折不扣的呆頭鵝。

玖 蘭亭集序

「找到他，找到他。」伍珊珊抱著黃飛鵝，心裡想著機關王的任務，雖然繞了一大圈，但她感覺，就快找到「他」了。

走回曲水邊，離開好像沒多久，但林裡的景象好像有點不一樣。

是四周的花，開得更茂盛了嗎？

還是曲水邊的席子，安排得更多了嗎？

是客人！哪來這麼多人呢？這裡一群，那裡一群，瘦瘦的孫綽看見霍許和伍珊珊，就舉起酒杯，樂呵呵的一飲而盡。

這些賓客，有男有女，男人穿著寬袍長袖，戴著高高的帽子，女人的服飾粉紅嫩青，質料看起來都很輕，頭上梳著高高的髮髻，插著各式各樣美麗的髮叉。

王缺管家仍在忙，他指揮著他的僕人大軍，送酒倒茶擺放食盒，食盒邊都放了小茶几，茶几上置放了文房四寶。

白紙鋪平了，小書僮幫忙磨好了墨。王缺管家一看見伍珊珊，攔住他們：

「找到他了嗎？」

「沒……沒有。」

「你們確定每個地方都找過了嗎？」王缺管家追問，「你們自己看看，這裡什麼都不缺，就缺右軍大人，我都快急死了，你們還這麼好整以暇，你們該不會跑去玩了吧？」

伍珊珊把鵝給他看：「但是，我們找到牠了呀。」

「找鵝？我的天老爺呀，這都是什麼光景，這都什麼時間了？全國最重要的人都到蘭亭了，大家都在，右軍大人卻不在，我的天哪，我的天哪，修禊怎麼辦？」

怎麼辦？沒人能幫他，他急得團團轉，但能怎麼辦？

突然，林子深處，傳來兩聲鼓。

咚咚。

「永和九年，蘭亭修禊，開始啦。」不知道誰喊了這麼一聲。

「還沒，還沒。」王缺管家急匆匆的往林子深處跑去。

來不及了，賓客們紛紛舉起酒杯，相互拱了拱手：「永和九年，蘭亭修禊，開始啦。」

「天是這麼的藍啊。」

瘦瘦的孫綽大叫：「我最好的朋友，右軍大人，你在哪兒呀？」

「芳草如此鮮美，適

合吟詩，右軍大人還在跟大家玩躲貓貓，但我們可以先開始啊。」胖胖的老徐在河對岸喊著。

「曲水流觴，曲水流觴。」

在人們的叫喊聲中，彎彎曲曲的曲水上，出現一個杯子，杯子浮在水面上，裡頭裝了酒。

「給我，給我。」孫綽大喊著。

「給我，給我。」對面的老徐也喊著。

不只他們，沿著曲水的所有賓客，人人眼光就注視著那酒杯，只見它漂漂蕩蕩，這裡轉一轉，那裡彎一彎，幾次以為要停下來了，最後還是被流水帶走。

走啊走，那酒杯最後停駐在小水灣，眾人一聲喝采：「孫綽。」

「孫綽今天竟然搶了個頭采。」

眾人歡呼聲，孫綽得意洋洋的把酒杯拿起來，高聲的說：

「我愛美酒。」

「你不能喝。」大家喊，「你得吟詩。」

孫綽只好依依不捨的放下酒杯，看著酒說：「你們等等，我馬上就來找你們了。」

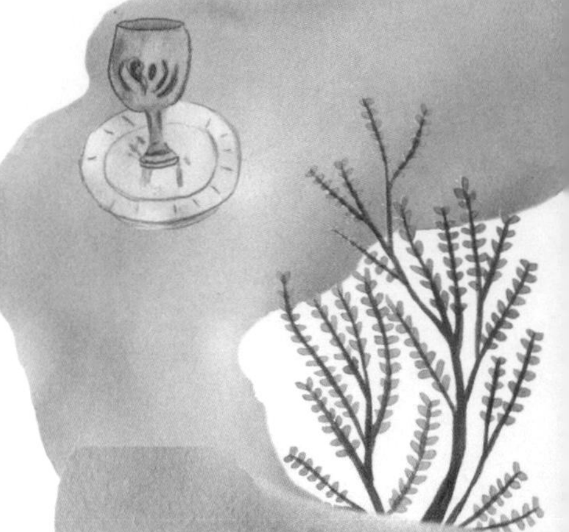

春詠登臺，亦有臨流。懷彼伐木，宿此良儔。
修竹蔭沼，旋瀨縈丘。穿池激湍，連濫觴舟。

「好詩。」對面的老徐拍著手：「孫綽吟出今日蘭亭之美。」

「好詩，該喝一杯酒。」林邊眾人紛紛舉起酒杯，

相互敬酒。

霍許說：「這遊戲好好玩喔。」

小七搖搖頭：「錯了，錯了，如果酒杯漂到你面前，在這麼多文學家面前，吟不出來，那才丟臉。」

曲水上又來了一個杯子，杯子慢慢悠悠，最後一停，竟然停在一個男孩面前。

「徽之。」有人喊著。

「右軍大人家的小五。」

「小孩子應該不必吟詩吧？」伍珊珊問。

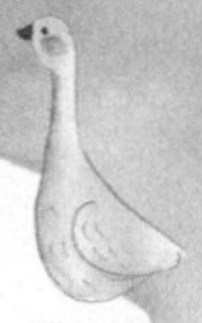

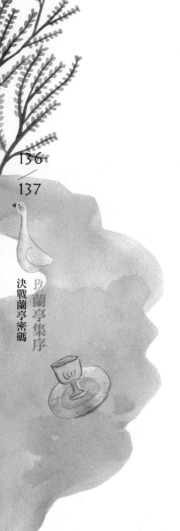

「那是我哥，他想吟就吟，不想吟就不吟，誰也料不準。」小七看了他哥哥一眼，這個小五微微一笑，脫口就說：

散懷山水，蕭然忘羈。秀薄粲穎，疏鬆籠崖。

遊羽扇霄，鱗躍清池。歸目寄歡，心冥二奇。

「好一個散懷山水，蕭然忘羈。」瘦老孫率先鼓起掌來：「王家子弟，果然個個不凡，這樣才能真正寄懷山水，忘卻俗事纏身啊。」

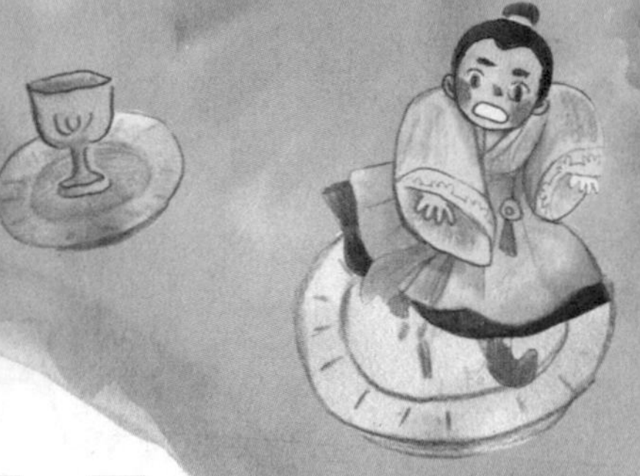

「咦？」伍珊珊突然想到：

「五哥是王徽之，那你是誰？」

「我是小七啊。」

「不，我是問，你叫什麼名字？」

「我叫王獻之……啊……」一個杯子竟然停在他們面前。

「小七。」眾人叫著。

「王獻之。」更多人叫著。

伍珊珊看看小七，王獻之這名字，她在哪裡聽過啊？

小七忙著解釋：「我……我只是小孩。」

「今天蘭亭修褉，少長咸集，無分男女老幼，該吟

就吟，不吟就喝酒。」孫綽的聲音在人群裡傳來，愛捉弄人的口氣，簡直就像……

「機關王？」不知道為什麼，機關王三個字竟然浮在霍許腦海裡。

「吟詩就吟詩，別欺負我年紀小。」小七說。

「對對對，你既然接了酒杯，當然就要吟詩一首，否則，喝酒吧。」不知道什麼時候，孫綽竟然擠到他們身邊。

一聽到喝酒，伍珊珊急忙攔著：「小孩不能喝酒。」

「哎呀，好凶的女孩。」一個留著長鬍子的叔叔，對著伍珊珊說。

伍珊珊被他一笑，生氣的說：「他不能喝酒，他是小孩，小七，對不對？」

沒想到小七看到那男人，竟然叫了聲：「爹！」

霍許愣了：「他是右軍大人？」

伍珊珊發出一聲尖叫：「王羲之？」

「是那個作品平時放在故宮博物院的王羲之！他居然留著稀疏的長鬍子，寬袍長袖的活生生的出現在面前？」她真想撲上去，而且伍珊珊急得在四周找東西——她想找張紙，讓他題

個字，那就太……太酷了。

看到伍珊珊這麼激動，王義之卻好像習慣了，他和藹的笑著，「小七整天淘氣，不做學問，這下要怎麼吟詩呢？要不要求五哥代你喝下那杯酒，不然這個小姑娘可不依喔。」

「我？」小七眼珠子轉了轉，他突然想起來，從伍珊珊手裡抱過小鵝，「爹的五大夫到齊啦。」

「什麼五大夫？」

「您今天不是去黃鵝娘家看鵝。」

「可惜鵝沒了。」王義之惋惜的說。

「爹，沒有大鵝，但是有小鵝呀！」小七把小鵝交給他：「這是黃鵝娘家的小鵝，等牠長大了，爹的五大夫鵝就到齊啦。」

「這……真是太好了。」王羲之把小鵝舉高：「你是咱們王府的第五大夫，你是河北飛鵝，又是黃鵝娘家的鵝，應該叫做飛大夫。」

他一說完，四周響起一陣掌聲。

「今日蘭亭修禊，有長有少，等會兒吟完詩，還少個人幫

忙寫序……」王缺管家在一旁說。

「有右軍大人在，誰敢在他面前寫字呢？」孫綽說。

「對對對，應該由右軍大人寫。」

「右軍大人寫的字，天下第一啊。」

在眾人叫好聲中，王羲之也不推辭，小七幫他攤開紙，王羲之提起筆，沾了墨汁：

永和九年，歲在癸丑……

他寫一句，人們念一句；念一句，人們

就歡呼一聲。在大家的叫好聲中，伍珊珊突然發現那隻小鵝從王羲之腳邊跑出來，鑽出人群，跳上托盤，順水而下。

「鵝！」

「什麼鵝？」霍許問。

「黃飛鵝跑了。」

「快追……」

拾 桃花林深處

那隻小鵝在飛嗎？牠拍著翅膀划著水。霍許和伍珊珊得小跑步才跟得上牠。

小河上游是竹林，密密竹林沿河兩邊，感覺就像一道綠色的隧道。就差一步，伍珊珊伸長了手，眼看手指前端就快碰到飛大夫，也就是在那一瞬間，她的指尖傳來一陣微麻。

「這……」她望向霍許，霍許也正望著他。

「我們要回去了嗎？」他們臉上表情一樣困惑。

有如一股細微電流從指尖流竄全身，綠色竹林融合成一道旋轉飛舞的綠色光圈，夾雜了閃電、狂風與尖叫，歷程是一秒鐘、一分鐘還是十分鐘？

也就那一剎那，伍珊珊突然想起來：「小七，王獻之？」

王獻之，這名字好熟，她真的想起來了——故宮裡有個三希堂，裡頭有三幅最著名的書法作品，其中之一，就是王獻之的「中秋帖」啊。

那想法一來即逝，等她能站穩腳步，一切已經風平浪靜。腳下嘩啦啦的是熟悉的可可溪，山坡上，可能小學的水塔劇場正閃著耀眼的金光。

飛大夫不見了，只剩下一艘小木船擱淺在河邊。蘭亭集序的船帆，堅固的木船，那是機關王給的「飛鵝號」。

他們原本參加的比賽是早上十點舉行，但是跑出竹林隧道後，太陽竟然在西邊。

「決戰蘭亭密碼活動應該早就結束了。」

霍許說：「我們剛剛又回到過去了。」

一個高高瘦瘦的人逆著日光朝他們走來，高高瘦瘦，頂著平頭，是機關王老師。

「你們怎麼還在這裡？」

他們兩個相互看一看，不知道該不該跟老師講。

「決戰蘭亭密碼頒完獎了，我們還去可能餐廳吃完慶功宴，難道你們一直躲在這裡玩帆船？」

霍許說：「老師，我們回到晉朝了，你知道我們見到誰嗎？」

「晉朝？」機關王伸手在她額頭上摸了一下：「這是我今年聽過最好笑的冷笑話，你們回去晉朝，難道見到王羲之了？」

「真的，我們真的找到王羲之。」伍珊珊很激動。

「王羲之，失敬失敬。」機關王不太相信他們的話，一邊走，一邊把決戰蘭亭密碼的布巾收起來：「有沒有跟王羲之要一張書法作品啊？」

「老師，我們說的都是真的。」霍許補充。

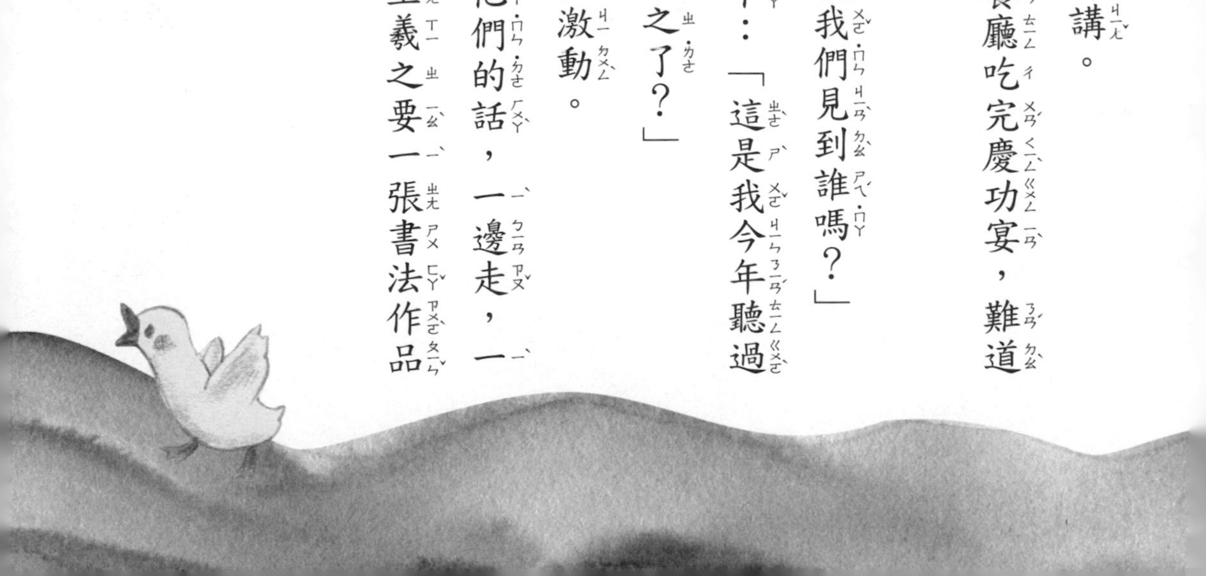

「還有小七，王獻之。」伍珊珊想起來：「哦——老師，這都是你設計的，對不對？」

「我？」機關王把布巾交給她幫忙拿，「每個墊後的孩子都會編個很扯、很離譜的理由，回到晉朝追著王羲之追鵝、找燒鵝絕對是我聽過，最搞笑排行榜的第一名。」

「什麼搞笑排行榜？」他們愣了一下，就那麼一下，機關王擺了個看起來很酷很帥的姿勢，揚揚手走進竹林。

霍許隱隱覺得不對勁。

「追王羲之、找燒鵝？」他看看伍珊珊，跳了起來：「伍珊珊，我們從頭到尾，有說過去晉朝追鵝嗎？」

「沒有。」

這麼一想，一切都合理了。他們拔腿就追，黃昏的光線黯淡，機關王走得快，但隱隱約約聽得到他的聲音從林裡傳出來。

什麼朱雀什麼野草，有一段聽不清楚。

伍珊珊倒是聽明白後面的兩句。

「舊時王謝堂前燕，飛入尋常百姓家。」

霍許心裡一動，因為那聲音越聽越像一個人，簡直就像……就像那個孫綽。

他快步跟上：「老師，老師，你是不是也去了晉朝，這次你是扮成孫綽嗎？」

機關王沒回答，清風徐徐，吹得竹葉颯颯作響，無邊夕陽，照亮可可溪，河水嘩啦啦，像在唱著歌呢。

可能的真相會客室：
連皇帝都想偷的書法作品

：可能真相大公開……

：公開國寶大真相。

：或許你已經讀完這一集的可能小學藝術國寶任務……

：但你知道國寶背後的祕密嗎？

：有請今天的真相嘉賓——

（掌聲中，跳出一枝毛筆。它一蹦一跳，每一步都要擺出十足的模特兒姿勢。）

：怎麼是一枝筆？

：或許主辦單位發錯邀請卡了？

（蘭竹筆發出一聲清嘯。）

：那個嘉賓就是我，不折不扣來自蘭亭的蘭竹筆精靈，想知道蘭亭故事就要找我！

：我們曾經邀請過鼎靈光，他是故宮青銅器館的精靈，那你是……

（蘭竹筆挺直身子。）

：貨真價實的名士，真正的名士。

蘭亭集序一代傳一代

：失敬，失敬，請問蘭竹筆老兄，你對蘭亭集序……

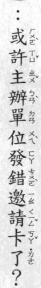

（蘭竹筆直接打斷霍許的話。）

：大家都愛蘭亭集序，遙想永和九年那天，我也在蘭亭邊，聽諸位名士吟詩喝酒。

：你說你在現場？

（蘭竹筆點了點頭，不發一語。）

：然後呢？你在哪裡？

：我……哼哼……我就在大書法家王羲之的手裡啊！那幅蘭亭集序就是用我的腳沾的墨，王羲之抓著我寫下來的。

（伍珊珊尖叫。）

：天哪，天哪，真的是你？

（蘭竹筆驕傲的神情。）

：千真萬確。

：是你寫下蘭亭集序？

：沒錯，沒有我，哪來的字呢？

：或許你說對了，但是聽說這幅字王羲之也很喜愛，把它傳給子孫，一直到第七代，也是大書法家的智永和尚？

：智永又傳給了辯才和尚？

唐太宗是頭號粉絲

（蘭竹筆搖頭晃腦的樣子。）

：孺子可教也，你們果然有做功課，辯才和尚擔心竊賊，所以在屋子的大樑上雕刻了個暗門，這幅字就藏在裡頭。

：這麼隱密？

：這是一定要的啊，這幅作品的名氣大，連唐太宗都知道它。

：我聽我的國寶老爸說過，唐朝的唐太宗最佩服王羲之，還曾詔告天下蒐集王羲之的作品，王羲之這麼有名，一大半是靠唐太宗這個頭號粉絲的功勞。

：難道唐太宗下令要辯才把字送給他？

：皇帝讓他進京，他不敢不去，進了京，他裝憨作痴，無論皇帝怎麼問，他都說不知道。

：好大的膽子。

：唐太宗沒生氣嗎？

：哼，做皇帝的也擔心呀，要是逼太緊，辯才故意把字畫毀了，那誰也得不到。

：唐太宗沒法子了？

：我們本來也以為沒事了，沒想到辯才回家後不久，來了一個賊頭賊腦的人，我一看就知道那個人不是好人。

：誰啊？

醉翁之意不在酒

：那個人假裝是個窮途潦倒的秀才，假裝在寺裡看字看畫，辯才太有同情心了，竟然還去關心他、招呼他。言談之中，發現這個秀才學問好，口才好，琴棋詩畫樣樣精通，兩人越談越投機，我三番兩次要他小心，他也不理。

：或許人家真的是個窮秀才？

：哼，窮秀才會這樣三番兩次來寺裡找老和尚喝酒嗎？

：這叫做酒逢知己千杯少啊。

：後來，他們開始談書論畫，這個窮秀才蕭翼還帶了王羲之和王獻之的書法作品來。

：那是假的吧，聽說二王的書法真跡早就沒有了。

（蘭竹筆搖搖頭。）

：不，真的是真跡。

：真的？怎麼可能？

：辯才本來也不相信，但是他看來看去，看了好久，終於確認那些是真的。

：哇！

：呆呆的老和尚，傻不隆冬的告訴那個窮秀才：「真的是真跡，可惜不是最好的，我這兒有一幅真跡，而且絕對是最好的！」

：或許，蕭翼就等他這句話？

：可惜老和尚沒遇到你。老和尚竟然真的爬上梯子，從木梁上小洞拿出《蘭亭集序》真跡。

：蕭翼就把畫搶走了？

：不，那個人真是賊啊！他故意說什麼那幅字有疑點，有些地方不像王羲之的筆法，還大方的把自己手上的真帖放在老和尚那裡，供他隨時比較。

：這樣聽起來，蕭翼很大方啊。

：大方？對，從此以後，他就「大大方方」進出老和尚的禪房，老和尚也很信任他，於是那幅蘭亭集序不再放回梁上小洞……

：或許，他就等這一天？

：就是那一天，老和尚前腳剛走，蕭翼後腳就來了。我猜他根本就躲在寺廟外，說什麼有兩本書忘了拿，自己進了屋子，就把蘭亭集序和我一起帶走了。

：進了皇宮，你就過著幸福快樂的日子啦。

：哼，什麼嘛，我們一進宮，唐太宗就請了當時最有名的書法家來臨摹這幅作品，簡直是山寨始祖！他找人複製了好多蘭亭集序呢。

：你先別生氣嘛，那真跡去哪裡了呢？

：真跡被唐太宗帶進墓裡，山寨卻滿街跑，太氣人了，太氣人了。

：你是說，唐太宗把王羲之的作品帶進墓裡？

：所以現在才看不到真跡，滿街掛的都是贗品、假貨、山寨！

：說到山寨，我突然想到，今天早上要來錄影，我們也買了幾枝蘭竹筆。

：怎麼可能？

（霍許拿出十幾枝毛筆。）

：或許，有可能喔，你看這些筆的商標，咦，好像都跟你身上的一樣耶。

：真的耶，而且我想到一件事，如果你是王羲之用過的筆，怎麼筆毛還是白色的，照理說，寫過字的筆毛沾了墨變黑了，難道你是山……

（蘭竹筆摀住嘴巴，一句話也不說。）

：蘭竹筆，你要不要解釋一下？

：現在看直播錄影的小朋友都等你解釋啊……

（蘭竹筆跳下桌子，蹦出攝影棚，留下兩個主持人面面相覷……）

：我們是不是太早把蘭竹筆拿出來了？

：現在怎麼辦？還在錄影耶……

：妳隨便拿枝蘭竹筆出來，跟觀眾揮一揮。

（伍珊珊隨意挑了其中一枝筆。）

：各位可能真相調查社的觀眾，我們下回見囉！

（啪，燈關掉了。）

（黑漆抹黑的畫面傳來兩句對話。）

：這樣觀眾相信了嗎？

：可能信，也可能不信，所以這才叫做可能真相大公開啊。

絶對可能任務

任務1　蘭亭集序裡面有許多重複的「之」字，你能找出來，並觀察它們有哪裡不一樣嗎？

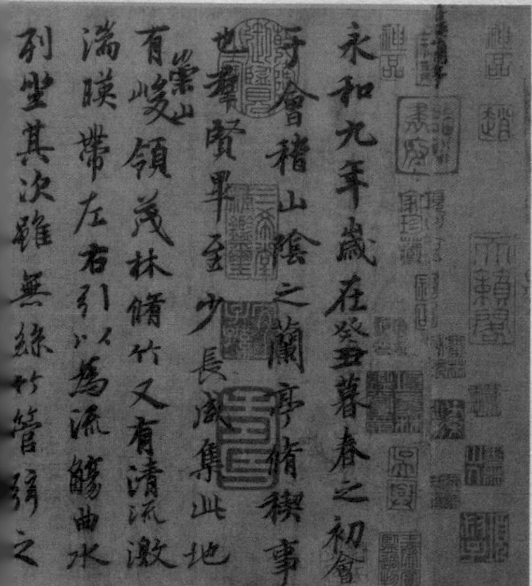
永和九年歲在癸丑暮春之初會
于會稽山陰之蘭亭脩禊事
也群賢畢至少長咸集此地
有崇山峻領茂林脩竹又有清流激
湍暎帶左右引以為流觴曲水
列坐其次雖無絲竹管弦之

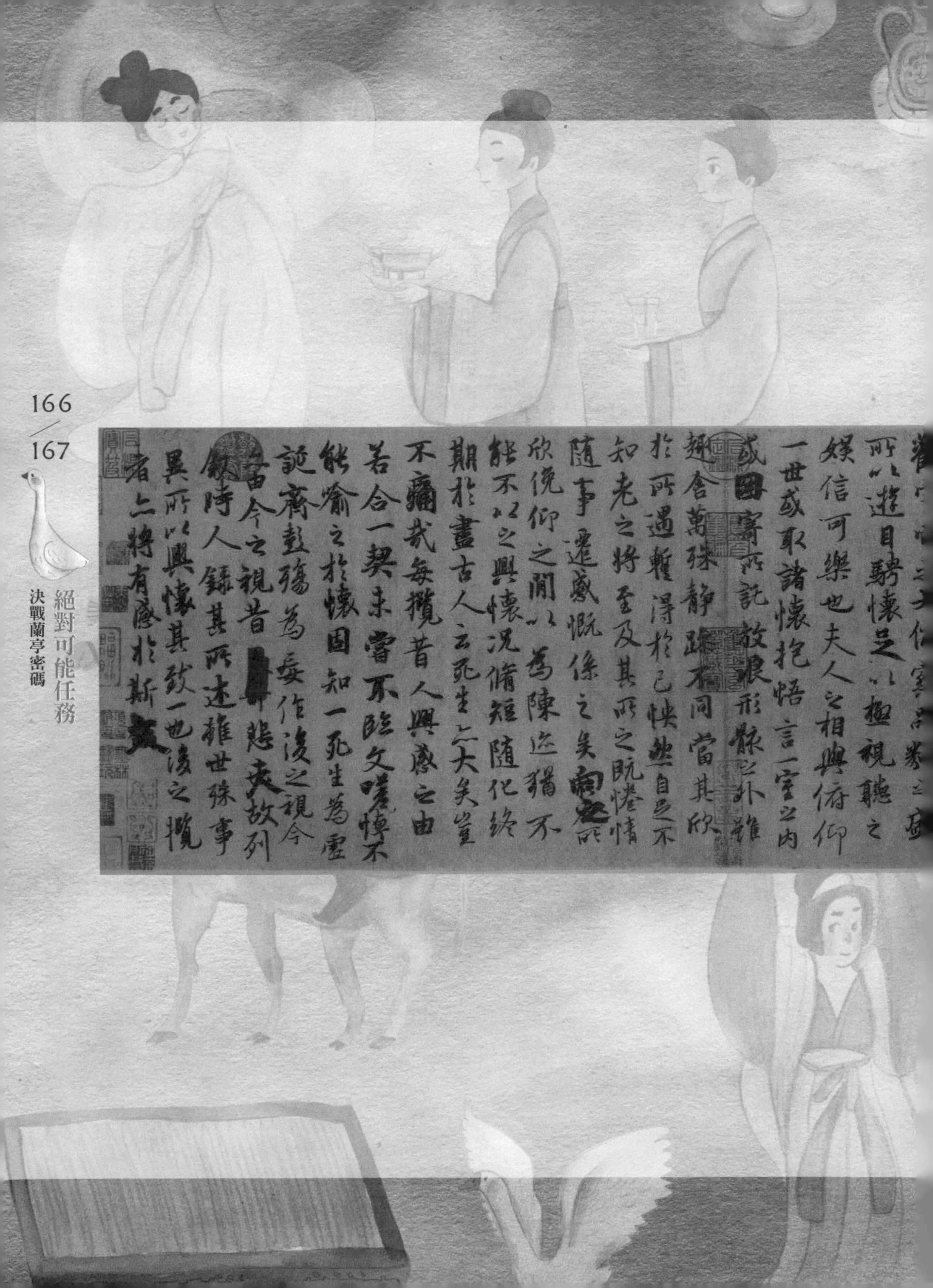

所以遊目騁懷足以極視聽之
娛信可樂也夫人之相與俯仰
一世或取諸懷抱悟言一室之內
或因寄所託放浪形骸之外雖
趣舍萬殊靜躁不同當其欣
於所遇暫得於己快然自足不
知老之將至及其所之既倦情
隨事遷感慨係之矣向之所
欣俯仰之間以為陳迹猶不
能不以之興懷況修短隨化終
期於盡古人云死生亦大矣豈
不痛哉每攬昔人興感之由
若合一契未嘗不臨文嗟悼不
能喻之於懷固知一死生為虛
誕齊彭殤為妄作後之視今
亦猶今之視昔悲夫故列
敘時人錄其所述雖世殊事
異所以興懷其致一也後之攬
者亦將有感於斯文

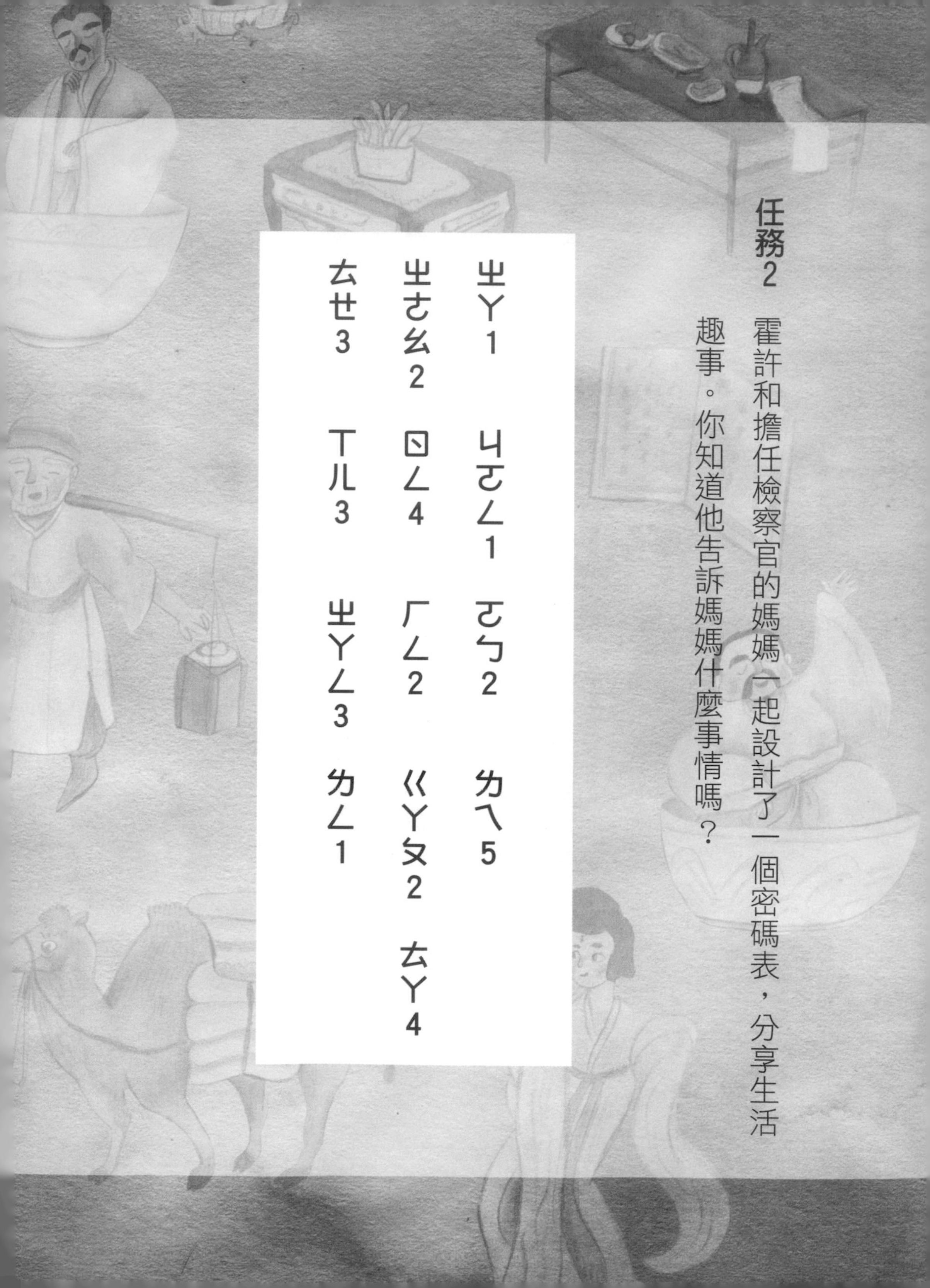

任務2

霍許和擔任檢察官的媽媽一起設計了一個密碼表，分享生活趣事。你知道他告訴媽媽什麼事情嗎？

ㄓㄚ1 ㄐㄛㄥ1 ㄛㄣ2 ㄌㄟ5

ㄓㄜㄠ2 ㄖㄥ4 ㄏㄥ2 ㄍㄚㄆ2 ㄊㄚ4

ㄊㄝ3 ㄒㄦ3 ㄓㄚㄥ3 ㄌㄥ1

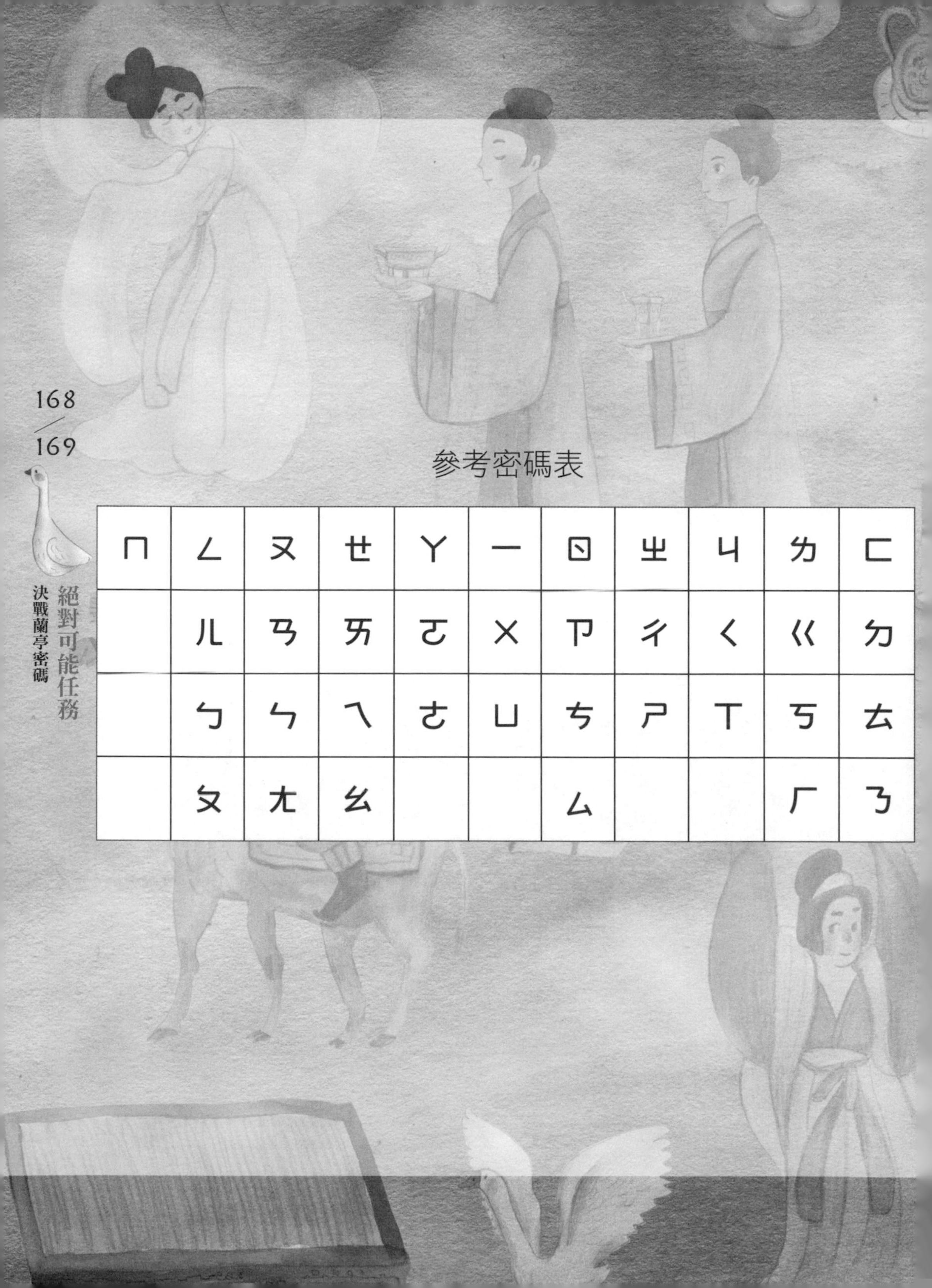

參考密碼表

ㄇ	ㄥ	ㄡ	ㄝ	ㄚ	ㄧ	ㄖ	ㄓ	ㄐ	ㄌ	ㄈ
	ㄦ	ㄢ	ㄞ	ㄛ	ㄨ	ㄗ	ㄔ	ㄑ	ㄍ	ㄉ
	ㄅ	ㄣ	ㄟ	ㄜ	ㄩ	ㄘ	ㄕ	ㄒ	ㄎ	ㄊ
	ㄆ	ㄤ	ㄠ			ㄙ			ㄏ	ㄋ

絕對可能任務參考答案：

任務一：「之」字重複了二十次，仔細看看它們有什麼不同的地方吧！

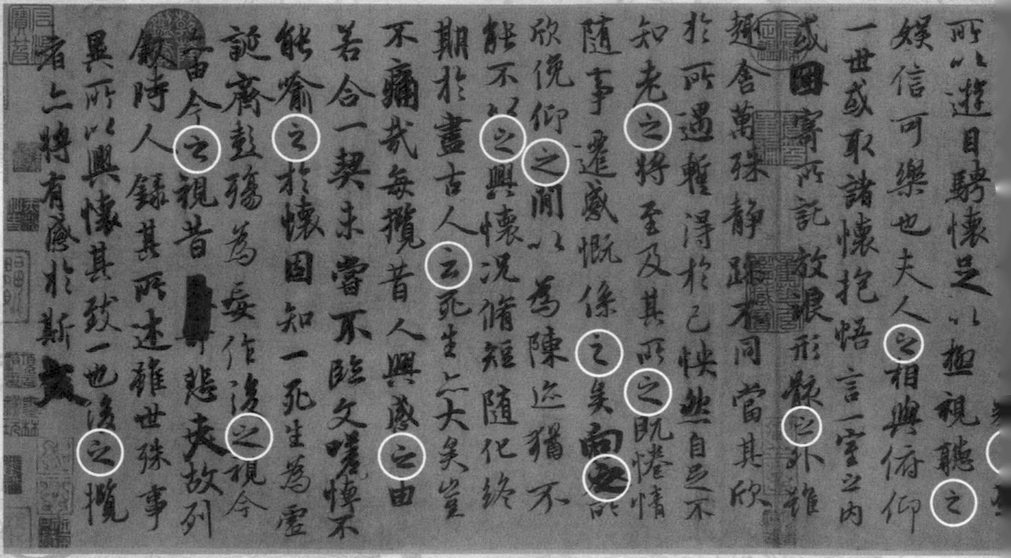

任務二：機關王的決戰蘭亭密碼很簡單！（利用注音符號順序位移，如ㄅ以ㄈ取代，
將注音符號填入正確位置及順序，就可以知道答案喔！

作者的話

當白菜還是白菜的時候

每次上社會課時，比較煩惱的是：很多背景知識無法帶孩子實地去看。例如教唐朝唐太宗，該怎樣讓孩子們進入盛唐呢？

進博物館是個好方法。

我曾在湖北博物館見過越王勾踐的劍，沒錯，就是「臥薪嘗膽」的勾踐。也曾在西安的兵馬俑博物館看過秦始皇的地下軍隊，那統一六國的威攝景象。更多的是，在故宮。臺北故宮的國寶，樣樣是精品。

例如帶小朋友去看毛公鼎，看完了，再回到教室細讀鼎裡銘文，一個距我們遙遠的朝代，就在不知不覺裡翩然而至。

於是，西周就和孩子有了連結。

講起烽火戲諸侯的周幽王，講起春秋戰國的歷史，感覺就近了。故宮有兩個，建築在北京，精品在臺灣，我們何其有幸，能這麼近距離的去感受歷史的溫度，於是，起心動念——這次就讓國寶來可能小學上課吧。

我寫毛公鼎，那是銅器時代，一個金光閃耀的朝代，外有玁狁虎視眈眈，內有帝王花天酒地，臨危授命的毛公，如何重振西周？

蘭亭集序大家耳熟能詳，有機會，進故宮去看看它，那是多美好的書法，多歡暢的文字，王羲之活得瀟灑自然，如果有幸讓可能小學帶孩子重回那年春天，會有什麼火花呢？

北京有幅韓熙載夜宴圖，有人說它內藏機密，事關北宋與南唐間的衝突。南唐李後主是千古詞帝，一幅畫竟然能牽連那一段歷史，這場千年前的夜宴，也在這回的可能小學裡。

前三本故事，有青銅器、有書法，有圖畫。

最後一本呢？

我決定寫敦煌。

還記得西元 1900 年嗎？那一年，老佛爺逃離北京城，就是在那一年，道士王圓籙遇見了外國來的斯坦因，他把無意見發現的萬卷經文，幾乎大半賣給了斯坦因。

而現在的敦煌極力的保護這片佛窟，限制遊客一天只能觀看幾座洞窟。

這片歷經千年不斷開鑿、雕塑、描繪的佛教聖地，在 1900 年卻被黃沙半掩——若不是王道士，沒人會注意敦煌；若不是王道士，經文不會被賣到海外。

然而若能回到了一千年前的敦煌呢？可能小學的孩子又會遇到什麼事情？

這幾個景點我曾到訪。

每次去旅行前我會先讀書，不想當個只聽導遊講解的遊客，自己是要先做功課的。因為做過功課，到了當地那種感受是完全不同的，走在敦煌莫高窟的每一步，彷彿都會有個畫師、塑匠隨時跳出來，走進洞子裡，看著滿窟、滿洞子的創作，會有滿滿的感動。

回到家，我會再把書細讀，這回再看書，又是不同的體會，因為它們已經進入我的心裡，和我的生命產生了連結。

讀萬卷書不如行萬里路，若能讀書加行旅，我們的生命就更有縱度與廣度。

這套可能小學，適合給孩子做社會科的延伸，適合給孩子做進故宮前的準備。

因為，當孩子讀完它之後，毛公鼎就不只是個呆呆的鼎，而翠玉白菜也不會只是一顆不能吃的大白菜了。

它已經成為孩子生命裡的一段連結，再也分不開了。

推薦文

從故宮文物出發的素養穿越之旅

◎彰化縣二林鎮原斗國民小學教師　林怡辰

金鼎獎作家王文華老師炙手可熱的可能小學系列，一直是教學現場大力推薦的書籍，在演講分享，也常推薦給老師們，不管是「可能小學的歷史任務」、「可能小學的愛地球任務」、「可能小學的愛臺灣任務」、「可能小學的西洋文明任務」，透過什麼事情都可以發生的可能小學裡的學生主角，孩子很容易輕易的跟著人物去身歷其境的探險，自然而然吸收情境裡的脈絡、熟悉朝代、歷史典故，甚至有了情感。

閱讀過的孩子經常回來分享，有趣，好讀，還能徜徉在歷史奇妙的故事中遊歷，不知不覺對於朝代、典故、脈絡，都耳熟能詳。而這次新推出的「可能小學的藝術國寶任務」，更叫我眼睛一亮。除了之前以歷史、臺灣等為主軸，這次更進一步，以故宮國寶為主題。從一件具有藝術、歷史和文化的國寶為圓心，朝代和背景為半徑，不斷擴散發想，圓滿出了一個個充滿想像和創意的故事。

從挑選的故宮文物，也可以看見作者的用心。舉凡故宮的毛公鼎，介紹了春秋戰國、銅器時代；赫赫有名蘭亭序的美，後面的故事有多精彩？北京的韓熙載夜宴圖，小小一幅圖有說不盡的驚險和考究故事，比情報故事還有趣；敦煌莫高窟啊！如果在千年前，石窟裡又可以寫下什麼不同的故事？

於是，你可以在《代號：毛公行動》看到可能小學裡的機關王設下了密室逃脫活動，代號就叫做「毛公行動」，除了要完成點燃烽火等任務，最後還要找到毛公鼎才能順利完成，過程中，你必須知道毛公是誰？毛公鼎有什麼希罕？為什麼是故宮的重要國寶？它怎麼被發現？怎麼被保存？全部都在這集，來試看看你可不可以順利走出密室逃脫！

《決戰蘭亭密碼》則是讓孩子跟著兩位可能小學的同學，到蘭亭修禊的現場去，讀讀魏晉時期名士風骨、跟著王羲之學寫字，想知道鵝和寫書法到底有什麼關係？為什麼王羲之的作品連皇帝唐太宗都想偷，到底有沒有偷成功？故事中更有許多與王羲之有關的典故故事，讓人不禁思考「坦腹東床」發生的當下究竟是怎麼一回事！

在《穿越夜宴謎城》中，那一幅張大千寧可不要一座王府也要買下的圖，到底有哪裡珍貴？為什麼畫這張圖的畫家在畫裡總是不開心？但這張畫竟然被偷了！國家機密在其中，快快成為小偵探，看看這幅充滿秘密的畫，到底是誰偷走了？又故事裡藏有什麼情報資料？

《259 敦煌計畫》書名的 259 是指什麼？有沙漠裡的羅浮宮到底為什麼可以保存了十個朝代將近千年的藝術轉變，看看你是否可以破解書中的「壁畫密碼」中的手印奧秘，最後順利找到回來的線索？

除了知識、冒險、還有破解謎案、密室逃脫、偵探解謎，以孩子有興趣的內容，卻淺顯的說出歷史和背後的迷人故事，重要的是，文華老師在書寫的過程中大量的閱讀，親自造訪，被深深感動後，再對照書籍，熱情挹注在筆下，讓孩子藉由閱讀的時間，和這些文物、歷史、文化，產生化學變化。孩子熟悉、連結、驚喜，有了感動和共感，萌發了興趣和動機，探索和深究成了自然而然，思辨和好奇持續加溫後，歷史和文物不再只是背誦的過客，而是有溫度的支點，解鎖了知識碎裂，開啟了真正的素養之路。

★ **最嚴謹的審訂團隊**：延請中興大學歷史系教授周樑楷、輔仁大學歷史系助理教授汪采燁審訂推薦，為孩子的知識學習把關，呈現專業的多元觀點。

★ **最具主題情境的版面設計**：以情境式插圖為故事開場及點綴內文版面，讓孩子身入其境展開一場精采的紙上冒險。

★ **最豐富有趣的延伸單元**：

- 「超時空翻譯機」：以「視窗」概念補充故事中的歷史知識，增強孩子的歷史實力
- 「絕對可能會客室」：邀請各文明的重要人物與主角對談，透露不為人知的歷史八卦頭條
- 「絕對可能任務」：由專業教師撰寫學習單，提供多元思考面向，提升孩子的邏輯思考能力

《決戰希臘奧運會》

鍋蓋老師把羅馬浴場搬進校園當成學生的水上樂園，卻發現水停了。劉星雨和花至蘭被指派到控制室檢查水管管線，一陣電流竄過身體，他們發現自己來到古羅馬浴場！他們被迫參加古羅馬競技賽，這下該如何安然躲過猛獸的攻擊呢？

《亞述空中花園奇遇記》

鍋蓋老師執導的古文明舞台劇「兩河流域：肥沃月灣」在水塔劇場公演。劉星雨上台表演前在布幕後睡著了。醒來時，發現置身於一個奇妙的空中花園，還遇到亞述國王正在獵第三百頭雄獅。戰火不斷的亞述帝國還有更多奇遇……

《勇闖羅馬競技場》

為了奪得運動會冠軍，劉星雨與花至蘭出發尋找尋寶單上的五個希臘大鬍子男人；才剛通過夜行館的門，兩人卻發現廣場上有正在被老婆罵的蘇格拉底！雖然順利完成任務，卻也被當作斯巴達的奸細，遭到雅典人的追捕……

《埃及金字塔遠征記》

花至蘭和劉星雨拿著闖關卡，準備參加埃及文化週總驗收。才剛踏出禮堂，兩人立刻被埃及士兵綁架，準備獻給尼羅河神。劉星雨還被埃及祭司認定是失蹤多年的埃及小王子！這下該證明自己的身分，回到可能小學呢？

全系列共4冊，原價1120元，套書特價840元。

可能小學的西洋文明任務

結合超時空任務冒險 ╳ 歷史社會學科知識，放眼國際，爲你揭開西洋古文明的神祕面紗！

「什麼都有可能」的可能小學開課囉！
社會科鍋蓋老師點子多，愛辦活動，
這次他訂的主題是「西洋古文明」——
學校禮堂是古埃及傳送門，尼羅河水正在氾濫中；
在水塔劇場演舞台劇，布幕一換，來到了烽火連天的亞述帝國！
動物園的運動會正在進行，跑著跑著，古希臘奧運會就在眼前要開始了；
老師把羅馬浴場搬進學校，沒想到，眞實的古羅馬競技卻悄悄上演……

系列特色

★ 最有「哏」的校園冒險故事：結合快閃冒險 X 時空穿越 X 闖關尋寶，穿越時空回到西方古文明，跟著神祕人物完成闖關任務！

★ 最給力的世界史入門讀物：補充國小階段世界史知識的不足，幫助學生掌握西洋古文明的發展脈絡及重點，累積國中歷史科學習的先備知識。

任務

歷史百萬小學堂，等你來挑戰！

系列特色

1. 暢銷童書作家、得獎常勝軍、資深國小教師王文華的知識性冒險故事力作。
2. 融合超時空冒險故事的刺激、校園生活故事的幽默，與台灣歷史知識，讓小讀者重回歷史現場，體驗台灣土地上的動人故事。
3. 「**超時空報馬仔**」單元：從故事情節延伸，深入淺出補充歷史知識，增強孩子的台灣史功力。
4. 「**絕對可能任務**」單元：每本書後附有趣味的闖關遊戲，激發孩子的好奇心和思考力。
5. 國立成功大學台灣文學系教授、前國立台灣歷史博物館館長吳密察專業審訂推薦。
6. 國小中高年級～國中適讀。

學者專家推薦

我建議家長們以這套書為起點，引領孩子想一想：哪些是可能的，哪些不可能？還有沒有別的可能？小說和歷史的距離，也許正是帶領孩子進一步探索、發現台灣史的開始。

——國立成功大學台灣文學系教授　**吳密察**

「超時空報馬仔」單元，把有關的史料一併呈現，供對照閱讀，期許小讀者認識自己生長的土地，慢慢養成多元的觀點，學著解釋過去與自己的關係，找著自己安身立命的根基。

——國立中央大學學習與教學研究所教授　**柯華葳**

孩子學習台灣史，對土地的尊敬與謙虛將更為踏實；如果希望孩子「自動自發」認識台灣史，那就給他一套好看、充實又深刻的台灣史故事吧！

——台北市立士東國小校長・童書作家　**林玫伶**

暢銷10萬冊
可能小學
三度開課

可能小學的愛台

融合知識、冒險、破解謎案，台

什麼事都可能發生的「可能小學」裡，有個怪怪博物館，
扭開門就到了荷蘭時代，被誤認為紅毛仔公主，多威風；
玩3D生存遊戲，沒想到鄭成功的砲彈真的打過來；
連搭捷運上學，捷運也變成蒸汽火車猛吐黑煙；
明明在看3D投影，怎麼伸手就摸到了布袋戲台！

★新聞局中小學生優良讀物推介

◎系列規格：全彩附注音／17 x 22cm ／152 頁／單冊定價 260 元

真假荷蘭公主

在可能博物館裡上課的郝優雅和曾聰明想要偷偷蹺課，一打開門卻走進荷蘭時代的西拉雅村子裡，郝優雅因為剛染了一頭紅髮，被誤以為是荷蘭公主，就在她沉浸在公主美夢中時，真正的公主出現了……

鄭荷大戰

課堂上正在玩鄭荷大戰的3D生存遊戲，獨自從荷蘭時代回來的曾聰明，在畫面中竟看見很像郝優雅的紅髮女孩，恍惚中砲彈似乎落在腳邊……這次曾聰明遇見了鄭成功，他問了鄭成功一個他一直很好奇的問題……

快跑，騰雲妖馬來了

上學的路上，郝優雅心情很鬱卒，因為曾聰明居然消失在鄭成功的時代。而且今天的捷運還怪怪的，明明該開到可能小學，下車後卻出現穿古裝的官員，轉頭一看，捷運竟然變成冒著黑煙的蒸汽火車！

大人山下跌倒

可能博物館今天上課主題是布袋戲，郝優雅和曾聰明好奇的摸著3D投影的老戲台，一轉眼，他們居然跑到了日治時期的廟會現場，舞台上戲演得正熱，突然日本警察山下跌倒氣沖沖的跑出來，發生什麼事了？

全系列共 4 冊，原價 1,040 元，套書特價 799 元

可能小學的藝術國寶任務：

決戰蘭亭密碼

作　　者｜王文華
繪　　者｜25 度

責任編輯｜楊琇珊
美術設計｜也是文創有限公司
行銷企劃｜吳邦珣

發行人｜殷允芃
創辦人兼執行長｜何琦瑜
總經理｜王玉鳳
總監｜張文婷
副總監｜林欣靜
版權專員｜何晨瑋

出版者｜親子天下股份有限公司
地址｜台北市 104 建國北路一段 96 號 11 樓
電話｜（02）2509-2800　傳真｜（02）2509-2462
網址｜ www.parenting.com.tw
讀者服務專線｜（02）2662-0332　週一～週五：09:00~17:30
讀者服務傳真｜（02）2662-6048
客服信箱｜ bill@service.cw.com.tw
法律顧問｜瀛睿兩岸暨創新顧問公司
總經銷｜大和圖書有限公司　電話（02）8990-2588

出版日期｜ 2019 年 7 月第一版第一次印行
定　　價｜ 280 元
書　　號｜ BKKCE026P
ISBN ｜ 978-957-503-445-0 (平裝)

國家圖書館出版品預行編目資料

決戰蘭亭密碼 / 王文華文；25 度圖 . -- 第一版 . -- 臺北市：親子天下 , 2019.07
184 面；17 X 22 公分

ISBN 978-957-503-445-0 (平裝)

863.59　　108009447

圖片出處：
p.24 陳博英提供
p.39 by 馮承素 , via Wikimedia Commons, Public Domain
p.55（上）by Qian Gu, via Wikimedia Commons, CC0
p.55（下）by Yamamoto Jakurin 隠元禅師と黄檗宗の絵画展：神戸市立博物館 1991, via Wikimedia Commons, Public Domain
p.65 by unknown, via Wikimedia Commons, Public Domain
p.77（上二）晉王羲之平安何如奉橘三帖：國立故宮博物院／故 - 書 -000050-00000
p.77（下）晉王羲之快雪時晴帖冊清乾隆繪山水：國立故宮博物院／故 - 書 -000141-00002
p.85（上）by 王獻之 via Wikimedia Commons, Public Domain
p.85（下）by unknown via Wikimedia Commons, Public Domain